chocola

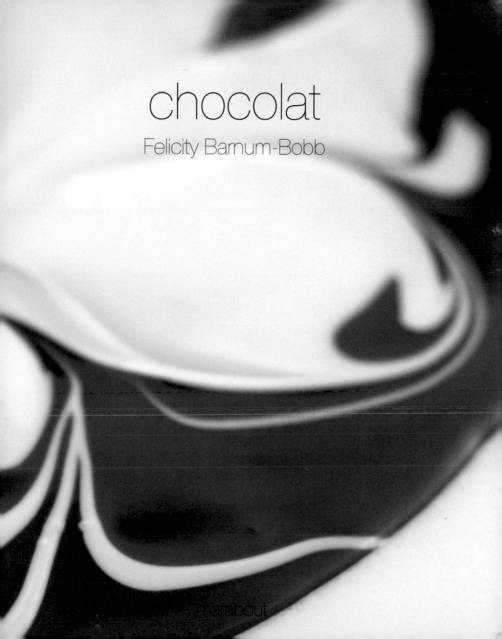

chocolat

Felicity Barnum-Bobb

marabout

Publié pour la première fois en Grande-Bretagne
en 2008 sous le titre *200 chocolate recipes*.

© 2008 Octopus Publishing Group Ltd.
© 2009 Hachette Livre (Marabout)
pour la traduction et l'adaptation françaises.

Crédits photos © Octopus Publishing Group Ltd.
Traduit de l'anglais par Catherine Vandevyvere.
Mise en pages : les PAOistes.

Pour l'éditeur, le principe est d'utiliser des papiers
composés de fibres naturelles, renouvelables, recycla-
bles et fabriquées à partir de bois issus de forêts qui
adoptent un système d'aménagement durable.
En outre, l'éditeur attend de ses fournisseurs de papier
qu'ils s'inscrivent dans une démarche de certification
environnementale reconnue.

ISBN : 978-2-501-05775-2
Dépôt légal : janvier 2009
40.4610.8 / 01
Imprimé en Espagne par Cayfosa-Impresia

sommaire

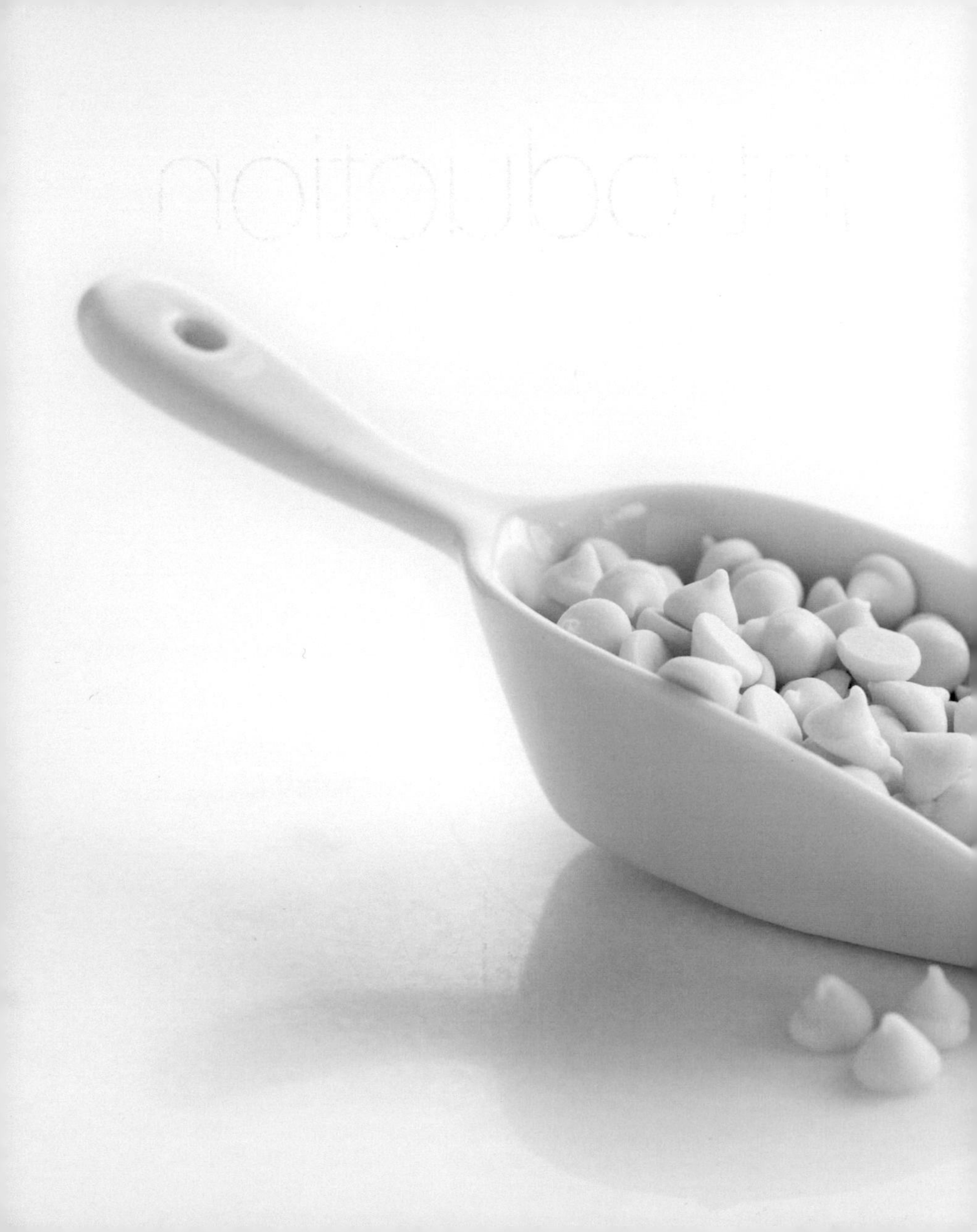

introduction

Pourquoi tout le monde adore le chocolat ? Tout d'abord, parce qu'il contient du sucre. Ensuite, le chocolat, à l'instar d'autres substances sucrées, favorise la libération d'endorphine, une hormone naturelle engendrant un sentiment de plaisir et de bien-être.

Certains stimulants du système nerveux central, tels que la caféine, sont également présents dans le chocolat, mais en petite quantité. Ces substances ont un léger effet sur la vigilance, le même effet que celui que nous connaissons lorsque nous buvons du café. Le chocolat contient aussi de la théobromine, une autre substance stimulante douce qui a un pouvoir relaxant sur les muscles lisses des bronches pulmonaires.

Le chocolat a aussi la faculté d'interagir avec notre cerveau, en agissant sur son réseau de neurotransmetteurs, sortes de messagers chimiques assurant la transmission des signaux électriques entre les cellules nerveuses. Ces signaux exercent une action sur nos sensations et nos émotions. Or le chocolat renferme du tryptophane dont dérive notamment la sérotonine, un neurotransmetteur

pouvant entraîner un sentiment d'euphorie et même d'extase lorsqu'il est présent en grande quantité. Des études récentes montrent que la dépendance se caractérise par la formation et la consolidation, par les neurotransmetteurs, de voies inhabituelles dans le cerveau. On peut donc supposer qu'à chaque morceau de chocolat ingurgité, le cerveau renforce ces « connexions nouvelles » pour nous faire aimer à chaque fois un peu plus le chocolat et nous rendre dépendants.

Mais peut-on dire que le chocolat est bon pour la santé ? Des scientifiques ont démontré que les flavonoïdes contenus dans le chocolat aident à lutter contre les maladies cardiaques, notamment en fluidifiant le sang et en empêchant la formation de caillots. Des chercheurs de l'université de Harvard ont réalisé des expériences qui prouvent que ceux qui mangent du chocolat trois fois par mois ont une espérance de vie supérieure de presque une année par rapport à ceux qui résistent à cette douce tentation. Hélas, la même étude montre également qu'une trop grande consommation de chocolat réduit l'espérance de vie ! Le taux élevé de graisse contenu dans le chocolat favorise l'obésité, bien connue pour accroître le risque de maladies cardiovasculaires.

Il semble donc que le proverbe « l'excès nuit en tout » est, dans le cas du chocolat, plus que valable. Si, toutefois, vous ne résistez pas, optez pour le chocolat noir qui, contrairement au chocolat au lait, augmente le taux de cholestérol HDL, le « bon » cholestérol qui empêche le dépôt d'athéromes sur les parois des artères.

les différents chocolats

Lorsque vous achetez du chocolat noir ou du chocolat au lait, souvenez-vous que plus le pourcentage de cacao est élevé, plus l'arôme est puissant.

chocolat noir

C'est celui qui se cuisine le mieux. Un bon chocolat noir contient entre 70 et 80 % de cacao. Son taux de sucre est plus bas que celui du chocolat au lait. Dans les recettes de cet ouvrage, nous avons surtout utilisé du chocolat noir à 50 ou à 60 % de cacao, puissant sans être trop fort. Particulièrement parfumé, il s'accommode de mille manières. Lorsqu'on le fait fondre, ce type de chocolat prend un aspect lisse et satiné, sans perdre en saveur. Évitez le chocolat noir bas de gamme, à 30 ou à 40 % de cacao.

On trouve aussi du chocolat parfumé à l'orange, aux épices, à la cerise, au café, à la menthe… Exploitez toutes les variantes possibles proposées dans les recettes de ce livre.

chocolat au lait

Considérablement plus sucré que le chocolat noir, le chocolat au lait est additionné de lait, de sucre et d'arômes, notamment la vanille. Il contient entre 20 et 30 % de cacao. Plus un chocolat au lait est riche en cacao, plus il est parfumé. C'est le chocolat préféré des enfants.

chocolat blanc

Le chocolat blanc ne contient pas de pâte de cacao, mais du beurre de cacao (réserve lipidique extraite de la fève pendant le processus de torréfaction), du lait, du sucre et des arômes. Les chocolats blancs les plus chers sont généralement plus parfumés que les autres. Essayez le chocolat blanc aromatisé à la vanille, particulièrement savoureux.

cacao en poudre

Produit dérivé de la fabrication du chocolat, la poudre de cacao se caractérise par son amertume et son arôme puissant. Idéale pour renforcer le goût du chocolat, elle doit toujours être cuite et enrichie en sucre.

chocolat de nappage

« Faux » chocolat essentiellement constitué de sucre, d'huiles végétales et d'arômes. Utilisez-le avec parcimonie, notamment si vous voulez réaliser rapidement une grande quantité de copeaux (voir page 12). Le chocolat de nappage, du fait de son taux élevé

leur. Posez le récipient sur une casserole remplie d'eau jusqu'au tiers de sa hauteur. Assurez-vous que la base du récipient ne soit pas en contact avec l'eau du bain-marie. Adaptez la température du feu de manière que l'eau frémisse. Laissez le chocolat ramollir avant de le remuer pour le lisser. Remuez-le le moins possible pour ne pas gâcher sa texture. Il est essentiel que pas une goutte d'eau ne tombe dans le récipient pendant que le chocolat fond, car le chocolat durcirait aussitôt. Quand le chocolat est fondu et lissé, éteignez le feu et utilisez-le immédiatement ou laissez-le dans le récipient, au bain-marie, pour le maintenir fondu.

au micro-ondes

Le four à micro-ondes permet de faire fondre très facilement du chocolat. Mais attention, du fait qu'il contient beaucoup de sucre, le chocolat brûle facilement. Le temps nécessaire pour faire fondre du chocolat de cette manière dépend de la quantité. Au micro-ondes, le chocolat ne change pas d'aspect, même complètement fondu. Vous ne saurez s'il est prêt qu'en le remuant.

Cassez 100 g de chocolat en petits morceaux et mettez-le dans un récipient résistant à la chaleur. Passez-le 1 minute au micro-ondes à puissance moyenne (600 watts) puis remuez. S'il n'est pas complètement fondu, remettez-le 30 secondes au micro-ondes.

Pour une quantité plus petite, procédez par tranches de 30 secondes. Pour des quantités plus grandes, optez pour le bain-marie ou le four traditionnel.

en graisse, se travaille particulièrement bien (ce qui explique son utilisation en décoration), mais il n'a aucun intérêt gustatif. Compromis acceptable : mélanger un quart de chocolat de nappage à trois quarts de chocolat noir ou de chocolat au lait de qualité.

faire fondre du chocolat

Le chocolat est une substance capricieuse, surtout quand on le chauffe. Feu doux et manipulation minimale sont les clés du succès. Du beurre, de la crème fraîche, du lait ou de la liqueur peuvent être ajoutés au chocolat pendant qu'il fond. Remuez délicatement pour lisser la préparation.

au bain-marie

Cassez le chocolat en petits morceaux et mettez-le dans un récipient résistant à la cha-

au four traditionnel

Méthode idéale si vous avez une cuisinière à combustible solide qui reste allumée en permanence. Mettez le chocolat dans un récipient résistant à la chaleur et faites chauffer à feu doux (110 °C), en contrôlant régulièrement. Vous pouvez aussi glisser le récipient dans un four qui vient d'être éteint.

stériliser des bocaux

La stérilisation est une étape indispensable dans le processus de fabrication de pâtes chocolatées (voir page 128). En effet, les bocaux utilisés pour contenir la pâte doivent être d'une propreté irréprochable pour garantir la conservation du produit. Avant tout, lavez les bocaux à l'eau chaude savonneuse ou dans le lave-vaisselle. Faites-les ensuite sécher dans un four doux pendant 15 minutes. Vous pouvez aussi les remplir d'eau jusqu'au quart de leur hauteur et les passer au micro-ondes jusqu'à ce que l'eau bouille (comptez 5 minutes à 900 watts pour 4 bocaux). Sortez les bocaux du four avec des gants, versez l'eau puis retournez-les sur du papier absorbant pour les faire sécher. Versez la pâte à tartiner dans les bocaux encore chauds.

matériel

Pour réaliser les recettes de cet ouvrage, quelques saladiers, un grand verre gradué, un tamis, une cuillère en bois et un moule à muffins suffisent. Bien sûr, un robot, un blender ou un mixeur vous permettront de gagner du temps. Choisissez toujours la vitesse la plus lente pour éviter de réduire la préparation en bouillie.

Pour économiser du temps, pensez au micro-ondes, que ce soit pour ramollir du beurre (30 secondes à 900 watts) ou pour faire fondre du chocolat (voir ci-dessus). Pour hacher des noix et autres fruits secs rapidement, utilisez un robot ou un moulin à café.

les secrets de la réussite

La réussite d'une recette passe par le respect des proportions et des températures. Voici quelques astuces pour mesurer avec précision, ainsi que quelques conseils concernant la cuisson.

- La contenance des cuillères (cuillères à café et à soupe) variant beaucoup d'une maison à l'autre, nous vous recommandons de faire l'acquisition d'un jeu de cuillères doseuses.

- Si possible, utilisez une balance digitale, plus précise que la balance classique.
- Mesurez les liquides dans un verre gradué ou utilisez une balance digitale avec plateau-bol.
- Utilisez du beurre en pommade, sauf indication contraire dans une recette.
- Pour incorporer un ingrédient à une préparation, utilisez toujours une cuillère en métal, et décrivez des mouvements amples pour retenir le plus d'air possible dans le mélange.
- Laissez le beurre fondu refroidir quelques minutes avant de le mélanger à des œufs.
- Utilisez des œufs de calibre moyen, sauf indication contraire dans une recette.
- Tapissez toujours vos moules de papier sulfurisé, cela facilitera le démoulage.

- Si vous avez un four classique, faites cuire vos préparations dans la partie supérieure de l'appareil. Dans un four à chaleur tournante, peu importe la hauteur de la grille puisque la chaleur est répartie uniformément.
- Si vous avez un four à chaleur tournante, baissez la température de 20 °C pour éviter que la préparation ne brûle avant même d'être cuite.

décors en chocolat

Tous les décors décrits ci-après peuvent se conserver environ 1 semaine au réfrigérateur, dans une boîte hermétique.

chocolat râpé

Avant de râper du chocolat, assurez-vous qu'il est à température ambiante. Utilisez les plus gros trous d'une râpe et râpez le chocolat sur du papier sulfurisé. Répartissez les râpures sur le gâteau à l'aide d'une palette.

copeaux

À l'aide d'un épluche-légumes, détachez d'épais fragments directement d'une tablette de chocolat conservée à température ambiante. Pour réaliser de grands copeaux, versez du chocolat fondu dans une barquette en plastique et placez-la au réfrigérateur. Quand le chocolat est pris, démoulez-le et réalisez de larges copeaux en raclant le bloc de chocolat à l'aide d'un épluche-légumes.

caraques

Ces longs rouleaux de chocolat, un peu difficiles à réaliser, sont du plus bel effet sur un gâteau de fête. Ils peuvent se conserver plusieurs semaines au réfrigérateur, et plus longtemps encore au congélateur. Étalez une mince couche de chocolat fondu sur une plaque de marbre ou de verre, ou sur le dos d'une plaque de cuisson. Quand le chocolat est pris, raclez-le avec un couteau à lame fine incliné à 45°.

Si le chocolat est trop mou et qu'il ne s'enroule pas sur lui-même, placez-le quelques minutes au réfrigérateur. S'il est trop sec et cassant, laissez-le reposer quelques instants à température ambiante ou glissez-le dans le four à micro-ondes pendant quelques secondes.

feuilles

Pour décorer de feuilles en chocolat un gâteau de fête ou une bûche de Noël, choisissez des feuilles à la fois résistantes et souples telles que des feuilles de laurier ou de rosier. Lavez et séchez les feuilles puis badigeonnez la face inférieure de chocolat fondu à l'aide d'un pinceau. Laissez prendre puis détachez délicatement les feuilles.

traits

Préparez d'abord une poche en papier sulfurisé. Prenez un carré de papier sulfurisé de 25 cm de côté. Coupez-le en deux en diagonale. Enroulez ensuite le papier sur lui-même de manière à former un cône. Repliez le sommet du cône plusieurs fois pour qu'il ne se défasse pas.

Remplissez le cône de chocolat fondu jusqu'à mi-hauteur. Refermez le cône en pliant le papier avant de couper la pointe avec une paire de ciseaux. Vérifiez le flux et agrandissez éventuellement l'ouverture. Si le chocolat durcit dans la poche, passez cette dernière quelques instants au micro-ondes. Faites des dessins en chocolat, sur du papier sulfurisé (lignes, ondulations, entrelacs, etc.). Laissez prendre. Détachez délicatement les formes du papier et utilisez-les pour décorer des desserts froids. Ne faites pas des décors trop fins qui risqueraient de se briser.

à-plats

Versez du chocolat fondu sur une plaque de cuisson tapissée de papier sulfurisé. Laissez prendre puis découpez les formes de votre choix à l'aide d'un emporte-pièce.

en
5 minutes

sauce simplissime

Pour **4 personnes**
Préparation **2 minutes**
Cuisson **3 minutes**

175 g de **lait concentré**
100 g de **chocolat noir**
  cassé en morceaux

Versez le lait concentré dans une petite casserole.
Ajoutez le chocolat et faites chauffer à feu doux
2 à 3 minutes, en remuant constamment.

Servez aussitôt avec le dessert de votre choix.
Cette sauce se marie particulièrement bien avec
de la crème glacée.

Pour une sauce chocolat-menthe, remplacez
le chocolat noir par 100 g de chocolat noir parfumé
à la menthe. Ajoutez 6 feuilles de menthe fraîche
ciselées dans la casserole. Faites chauffer à feu doux,
en remuant jusqu'à ce que le chocolat soit fondu.

petits pots de crème au fromage frais

Pour **6 personnes**
Préparation **1 minute**
Cuisson **4 minutes**

300 g de **chocolat noir**
500 g de **fromage frais**
 allégé
1 c. à c. d'**extrait de vanille**

Faites fondre le chocolat au bain-marie (voir page 10).

Hors du feu, ajoutez le fromage frais et l'extrait de vanille. Remuez vivement.

Répartissez la préparation dans 6 petits pots ou verres puis servez aussitôt.

Pour une version chaude au café, faites fondre le chocolat avec 2 cuillerées à soupe d'espresso très fort. Répartissez la préparation dans 6 petites tasses à espresso. Déposez 1 cuillerée à café de fromage frais nature sur la crème et saupoudrez de cacao en poudre.

croissants à la banane

Pour **4 personnes**
Préparation **2 minutes**
Cuisson **3 minutes**

8 **croissants**
2 grosses **bananes**
  coupées en rondelles
250 g de **chocolat au lait**
  cassé en morceaux

Coupez les croissants en deux, horizontalement,
à l'aide d'un couteau tranchant. Déposez la base
des croissants sur une plaque de cuisson.

Disposez les rondelles de bananes sur la base
des croissants. Déposez des carrés de chocolat
sur les bananes puis refermez les croissants.

Faites cuire 3 minutes dans un four préchauffé
à 230 °C jusqu'à ce que les croissants soient chauds
et que le chocolat ait fondu.

**Pour des croissants à la myrtille, à la pomme
et au chocolat blanc,** prenez une pomme, ôtez
le trognon puis coupez-la en tranches. Disposez
les tranches de pomme sur la base des croissants.
Remplacez le chocolat au lait par du chocolat blanc.
Déposez 1 cuillerée à café de confiture de myrtilles
sur le chocolat. Refermez les croissants et faites cuire
comme indiqué ci-dessus.

crêpes au chocolat et sauce à la liqueur

Pour **4 personnes**
Préparation **1 minute**
Cuisson **4 minutes**

Crêpes
125 g de **farine** ordinaire
2 c. à s. de **sucre**
   en poudre
1 **œuf**
300 ml de **lait**
beurre ou **huile végétale**
   pour la cuisson
50 g de **chocolat noir**
   cassé en morceaux

Sauce
100 g de **beurre**
100 g de **sucre roux**
4 c. à s. de **liqueur**
   de chocolat ou de **porto**

Tamisez la farine au-dessus d'un saladier. Ajoutez le sucre. Faites un puits et versez-y l'œuf et un peu de lait. Fouettez puis ajoutez le reste de lait.

Faites chauffer un peu de beurre (ou d'huile) dans une poêle à crêpes de 18 cm de diamètre ou dans une poêle à fond épais jusqu'à ce qu'il commence à fumer. Jetez l'excédent de matière grasse puis versez un peu de pâte en inclinant la poêle pour en napper le fond. (Vous pouvez utiliser une petite louche pour mesurer la quantité de pâte versée). Laissez cuire 1 à 2 minutes jusqu'à ce que le dessous commence à dorer.

Retournez la crêpe avec une spatule et poursuivez la cuisson 30 à 40 secondes. Faites glisser la crêpe sur une assiette. Faites cuire les autres crêpes en remettant de temps en temps du beurre dans la poêle. Réservez les crêpes pendant que vous préparez la sauce.

Faites fondre le beurre dans une poêle avec le sucre roux. Ajoutez la liqueur de chocolat ou le porto.

Répartissez les morceaux de chocolat noir sur les crêpes. Pliez les crêpes en quatre et remettez-les dans la poêle. Faites-les chauffer quelques instants. Nappez de sauce et servez.

pop-corn caramel-chocolat

Pour **4 personnes**
Préparation **1 minute**
Cuisson **4 minutes**

50 g de **maïs à pop-corn**
250 g de **beurre**
250 g de **sucre roux**
2 c. à s. de **cacao
  en poudre**

Versez le maïs dans un grand plat avec couvercle. Faites cuire 4 minutes au micro-ondes (900 watts). Vous pouvez aussi faire chauffer les grains de maïs pendant quelques minutes à feu moyen, dans une casserole avec couvercle, jusqu'à ce qu'ils éclatent.

Pendant ce temps, faites chauffer le beurre à feu doux avec le sucre et le cacao en poudre. Quand le sucre est dissous, retirez la casserole du feu.

Tournez les pop-corn chauds dans le beurre fondu puis servez.

Pour du pop-corn caramel-marshmallows, supprimez le sucre et le cacao. Faites cuire le maïs au micro-ondes comme indiqué ci-dessus, puis faites chauffer à feu doux 150 g de caramels mous, 125 g de beurre, 125 g de marshmallows et 50 g de chocolat noir. Tournez les pop-corn dans cette préparation puis servez.

brioche au chocolat

Pour **1 personne**
Préparation **1 minute**
Cuisson **4 minutes**

2 tranches de **brioche**
1 c. à s. de **chocolat
à tartiner** prêt à l'emploi
ou de pâte à tartiner
au chocolat blanc
(voir page 128)
15 g de **beurre**
2 c. à c. de **sucre semoule**

Assemblez les tranches de brioche à l'aide de la pâte à tartiner.

Beurrez ce sandwich sur les deux faces et saupoudrez-le de sucre.

Faites chauffer une poêle-gril, une poêle à frire ou un gaufrier puis faites cuire le sandwich au chocolat 3 minutes, en le retournant à mi-cuisson.

Pour une variante aux cacahuètes, étalez 1 cuillerée à soupe de chocolat à tartiner prêt à l'emploi ou de pâte à tartiner chocolat-noisettes (voir page 128) sur une tranche de brioche. Prenez une autre tranche et tartinez-la de beurre de cacahuètes (1 cuillerée à soupe) et de banane écrasée (1 banane). Assemblez les deux tranches de brioche.

muesli aux pépites de chocolat

Pour **1 personne**
Préparation **3 minutes**
Cuisson **2 minutes**

3 c. à s. de **flocons
d'avoine**
1 c. à s. de **noisettes**
1 c. à s. de **pistaches**
1 c. à s. de **mélanges
de graines** (potiron,
chanvre, tournesol,
sésame, lin)
2 c. à s. d'**huile d'olive**
douce
2 c. à s. de **miel** liquide

Pour servir
150 ml de **yaourt
à la vanille**
2 c. à s. de **graines
de grenade**
2 c. à c. de **pépites
de chocolat noir**

Faites chauffer une grande poêle antiadhésive
et faites-y revenir les flocons d'avoine, les noisettes,
les pistaches et les graines pendant quelques minutes.

Ajoutez l'huile d'olive et le miel. Remuez soigneusement.

Versez le muesli dans un bol, nappez de yaourt,
parsemez de graines de grenade et de pépites
de chocolat puis savourez.

Pour une version très croustillante, mélangez 200 g
de muesli dans un plat à rôtir avec 4 cuillerées à soupe
de mélange de graines, 3 cuillerées à soupe d'huile
d'olive et 3 cuillerées à soupe de miel. Faites cuire
20 minutes dans un four préchauffé à 180 °C. Laissez
refroidir puis ajoutez 3 cuillerées à soupe de pépites
de chocolat noir. Servez ce muesli croustillant avec
du yaourt à la vanille. Pour 4 personnes.

grog mousseux au chocolat

Pour 1 personne
Préparation **2 minutes**
Cuisson **3 minutes**

1 c. à c. de **fécule de maïs**
300 ml de **lait demi-écrémé**
1 c. à c. de **sucre semoule**
4 carrés de **chocolat noir**
2 c. à s. d'**alcool**
(cognac, rhum ou vodka,
par exemple)
1 c. à c. de **chocolat râpé**
(noir, au lait ou blanc)

Versez la fécule de maïs dans un récipient. Ajoutez 1 cuillerée à soupe de lait et mélangez jusqu'à obtention d'une pâte lisse. Versez 200 ml de lait, le sucre, les carrés de chocolat et l'alcool.

Glissez le mélange dans le four à micro-ondes (900 watts) pendant 2 minutes, ou faites-le chauffer dans une casserole sur feu doux. Versez le chocolat chaud dans un grand verre.

Faites chauffer le reste de lait puis faites-le mousser en le fouettant énergiquement. Versez le lait mousseux sur le chocolat chaud. Saupoudrez de chocolat râpé et servez aussitôt.

Pour une version plus riche, faites chauffer 750 ml de lait entier. Aux premiers bouillons, retirez la casserole du feu et ajoutez 100 g de chocolat noir haché, 50 g de sucre en poudre, 125 g de marshmallows et 1 pincée de cannelle en poudre. Laissez reposer. Pendant ce temps, fouettez 125 ml de crème fraîche jusqu'à ce qu'elle forme des pointes souples. Versez le chocolat dans 4 tasses ou dans 2 grands mugs. Garnissez de crème fraîche et décorez chaque tasse avec 2 marshmallows.

pain perdu chocolat-cannelle

Pour **2 personnes**
Préparation **2 minutes**
Cuisson **3 minutes**

2 **œufs** légèrement battus
2 épaisses tranches
  de **pain complet
  aux graines**, coupées
  en deux
15 g de **beurre**
2 c. à s. de **sucre roux**
2 c. à c. de **cacao
  en poudre**
½ c. à c. de **cannelle**
  en poudre

Versez les œufs battus dans une assiette. Trempez les tranches de pain dans l'œuf. Retournez-les pour bien les imbiber.

Faites fondre le beurre dans une poêle à fond épais. Posez les tranches dans la poêle et faites-les rissoler 3 minutes en les retournant de temps en temps.

Mélangez le sucre, le cacao en poudre et la cannelle dans une assiette. Tournez les tranches de pain dans ce mélange puis servez aussitôt.

Pour un pudding chocolat-cannelle, préparez les tranches de pain comme indiqué ci-dessus puis disposez-les dans un plat à gratin d'une contenance de 600 ml. Faites fondre 50 g de chocolat noir au bain-marie avec 150 ml de lait et 5 cuillerées à soupe de crème fraîche (voir page 10). S'il reste de l'œuf dans l'assiette, ajoutez-le également. Versez ce mélange sur le pain. Faites cuire 20 minutes dans un four préchauffé à 180 °C jusqu'à ce que le pudding soit pris.

mousses, crèmes et cie

mousse chocolat-orange

Pour **10 personnes**
Préparation **15 minutes**
  + réfrigération
Cuisson **5 minutes**

200 g de **chocolat noir**
3 gros **blancs d'œufs**
150 g de **sucre en poudre**
275 ml de **crème épaisse**
le **zeste** finement râpé
  de 1 **orange**
50 ml de **liqueur d'orange**
1 **orange** coupée
  en 10 quartiers

Faites fondre le chocolat au bain-marie (voir page 10). Retirez la casserole du feu.

Fouettez les blancs d'œufs en neige souple dans un grand saladier parfaitement propre. Incorporez progressivement le sucre (1 cuillerée à soupe à la fois) jusqu'à ce que le mélange devienne lisse et satiné.

Dans un saladier, fouettez la crème fraîche avec le zeste d'orange. Quand des pointes souples se forment, ajoutez la liqueur d'orange. Veillez à ne pas trop fouetter la crème car elle tournerait.

Versez le chocolat fondu dans la crème à l'orange et remuez vivement. Incorporez 1 cuillerée à soupe de blanc d'œuf pour fluidifier le mélange puis ajoutez le reste des blancs, très délicatement.

Répartissez la mousse dans 10 tasses à espresso ou dans 10 petits ramequins et placez 1 heure au réfrigérateur. Décorez avec un quartier d'orange puis servez.

Pour une mousse au chocolat classique, remplacez la liqueur d'orange par 50 ml de vodka, de kirsch, de cognac ou de whisky. Supprimez le zeste et les quartiers d'orange. Sinon, suivez la recette ci-dessus. Servez la mousse avec un biscuit fin (langue-de-chat ou cigarette russe).

gâteau au chocolat et au mascarpone

Pour **10 personnes**
Préparation **30 minutes**
  + refroidissement
  et réfrigération
Cuisson **20 à 25 minutes**

3 **œufs**
75 g de **sucre en poudre**
50 g de **farine** ordinaire
25 g de **cacao en poudre**

Garniture
2 c. à c. de **gélatine**
  en poudre
3 c. à s. d'**eau froide**
200 g de **chocolat noir**
500 g de **mascarpone**
  à température ambiante
75 g de **sucre en poudre**
1 c. à c. d'**extrait de vanille**
200 g de **yaourt grec**
4 c. à s. d'**eau chaude**

Fouettez les œufs et le sucre dans un récipient placé sur une casserole d'eau frémissante. Quand le mélange a épaissi, retirez la casserole du feu et fouettez 2 minutes de plus. Incorporez la farine et le cacao tamisés. Huilez et tapissez de papier sulfurisé un moule à bord amovible de 23 cm de diamètre, puis versez-y la préparation. Faites cuire 15 minutes dans un four préchauffé à 190 °C. Démoulez et laissez refroidir sur une grille.

Dans un bol, faites tremper la gélatine dans l'eau froide 5 minutes. Plongez le bol dans une casserole d'eau chaude pour faire fondre la gélatine. Coupez le gâteau en deux, horizontalement. Remettez la base du gâteau dans le moule.

Faites fondre 175 g de chocolat au bain-marie (voir page 10). Dans un saladier, fouettez le mascarpone avec le sucre, l'extrait de vanille, le yaourt et l'eau chaude. Ajoutez progressivement la gélatine. Divisez cette préparation en deux. Incorporez le chocolat fondu dans un des deux saladiers et versez dans le moule. Déposez l'autre moitié de gâteau sur la crème au chocolat. Étalez la crème au mascarpone sur le gâteau (si la crème a commencé à prendre, ajoutez un peu d'eau chaude et fouettez). Lissez la surface et placez plusieurs heures au réfrigérateur.

Démoulez le gâteau sur un plat de service. Ôtez le papier sulfurisé. Faites fondre le reste de chocolat et décorez-en le gâteau. Placez au réfrigérateur jusqu'au moment de servir.

tranches croquantes

Pour **12 tranches**
Préparation **10 minutes**
+ réfrigération
Cuisson **10 minutes**

225 g de **beurre**
3 c. à s. de **golden syrup**
50 g de **cacao en poudre**
125 g de **biscuits sablés**
émiettés grossièrement
200 g de **marshmallows**
coupés en quatre
75 g de **bonbons Maltesers**
écrasés grossièrement
200 g de **chocolat au lait**
200 g de **chocolat noir**
4 c. à s. de **vermicelles**
en chocolat

Faites fondre le beurre au bain-marie avec le golden syrup et le cacao en poudre. Ajoutez les biscuits, les marshmallows et les bonbons Maltesers.

Huilez un moule rectangulaire de 25 x 18 cm. Versez la préparation dans le moule et placez-la 15 minutes au réfrigérateur.

Faites fondre le chocolat au lait et le chocolat noir, ensemble, au bain-marie (voir page 10). Retirez la casserole du feu. Versez le chocolat fondu dans le moule et parsemez de vermicelles en chocolat.

Placez 20 minutes au réfrigérateur puis coupez en tranches ou en carrés.

Pour une variante au gingembre, faites fondre 75 g de chocolat noir avec 125 g de chocolat au lait et 175 g de beurre. Quand tout a fondu, incorporez 2 cuillerées à soupe de golden syrup, 125 g de biscuits au gingembre grossièrement émiettés, 75 g de noisettes grillées et hachées, 75 g de raisins secs et 75 g de barres chocolatées aux noisettes émiettées. Mélangez soigneusement et versez dans un moule à pain d'une contenance de 500 g tapissé de papier sulfurisé. Faites prendre au réfrigérateur comme indiqué ci-dessus. Coupez en tranches puis servez.

coupelles de crème à l'orange

Pour **6 personnes**
Préparation **40 minutes**
  + réfrigération et congélation
Cuisson **5 minutes**

Coupelles
225 g de **chocolat noir**

Crème
200 g de **fromage frais**
150 ml de **crème fraîche**
150 g de **yaourt nature**
3 c. à s. de **sucre en poudre**
le **jus** et le **zeste**
  finement râpé de 1 **orange**
3 c. à s. de **liqueur**
  d'orange (facultatif)
100 g de **copeaux**
  en chocolat
morceaux d'**écorce**
  d'orange confite
  pour décorer

Déposez un carré de papier sulfurisé sur une plaque de cuisson. Découpez 6 bandes de papier sulfurisé, de 30 x 5 cm chacune. Enroulez une bande sur elle-même et glissez-la dans un emporte-pièce cylindrique de 6 cm de diamètre, posé sur la plaque de cuisson. Veillez à ce que la bande de papier chemise bien l'emporte-pièce.

Faites fondre le chocolat au bain-marie (voir page 10). Versez un peu de chocolat fondu dans le cylindre chemisé puis, tout en maintenant l'emporte-pièce, faites remonter le chocolat le long des parois de manière à former une coupelle avec un bord irrégulier. Retirez l'emporte-pièce (ou laissez-le en place si vous en avez plusieurs) et confectionnez 5 autres coupelles. Faites prendre au réfrigérateur.

Fouettez le fromage frais dans un saladier pour le ramollir. Incorporez-y la crème fraîche, le yaourt, le sucre, le jus et le zeste d'orange puis la liqueur. Ajoutez les copeaux de chocolat (gardez-en quelques-uns pour la décoration).

Versez la crème à l'orange dans les coupelles en chocolat et placez-la au moins 3 heures au congélateur. Enlevez le papier sulfurisé et remettez les coupelles au congélateur. Pensez à placer les coupelles dans le réfrigérateur, 1 heure avant de servir. Décorez avec quelques copeaux de chocolat et des morceaux d'écorce d'orange confite.

crème brûlée au chocolat

Pour **6 personnes**
Préparation **15 minutes**
+ réfrigération
Cuisson **5 minutes**

575 ml de **crème fraîche**
1 **gousse de vanille** fendue
150 g de **chocolat noir**
cassé en morceaux
6 **jaunes d'œufs**
25 g de **sucre en poudre**
1 c. à s. de **sucre vanillé**
4 c. à s. de **cognac**
6 c. à s. de **crème épaisse**
50 g de **sucre brun**

Faites chauffer la crème fraîche à feu doux avec
la gousse de vanille. Quand le mélange bout, retirez
la casserole du feu, ôtez la vanille et ajoutez le chocolat.
Remuez jusqu'à ce que le chocolat soit fondu.

Fouettez ensemble les jaunes d'œufs, le sucre, le sucre
vanillé et le cognac jusqu'à ce que le mélange mousse
et blanchisse. À l'aide d'un fouet, incorporez progressivement cette préparation dans la crème au chocolat.
Reversez le tout dans une casserole propre en filtrant
le mélange à travers une passoire. Faites chauffer à
feu doux, en remuant, jusqu'à obtention d'un mélange
épais et lisse.

Répartissez la crème dans 6 tasses en verre
et placez-la au moins 2 heures au réfrigérateur.
Déposez une cuillerée de crème épaisse dans chaque
tasse et saupoudrez de sucre brun. Faites caraméliser
le sucre sous le gril du four ou à l'aide d'un chalumeau
à crème brûlée.

**Pour une crème brûlée aux fruits rouges
et au chocolat,** décongelez 500 g de fruits rouges.
Répartissez les fruits dans 6 ramequins en verre ou
6 tasses à espresso. Saupoudrez de sucre (1 cuillerée
à soupe par ramequin). Arrosez de crème de cassis
(2 cuillerées à soupe par portion). Suivez ensuite
la recette ci-dessus.

gâteau croquant au chocolat blanc

Pour **12 parts**
Préparation **15 minutes**
  + réfrigération
Cuisson **3 minutes**

225 g de **beurre**
3 c. à s. de **miel** liquide
3 c. à s. de **cacao
  en poudre**
300 g de **biscuits sablés**
  émiettés grossièrement
100 g de **chocolat blanc**
12 **pépites**
  de chocolat blanc

Faites chauffer le beurre, le miel et le cacao dans une casserole. Ajoutez les biscuits et remuez pour bien en enrober tous les morceaux.

Versez cette préparation dans un moule de 18 cm de diamètre. Placez au moins 30 minutes au réfrigérateur.

Faites fondre le chocolat blanc au bain-marie (voir page 10). Étalez le chocolat fondu sur le fond en biscuits. Disposez les pépites de chocolat blanc sur tout le tour.

Placez au moins 30 minutes au réfrigérateur. Coupez le gâteau en 12 parts.

Pour varier, remplacez les biscuits sablés par 200 g de biscuits fourrés à la vanille et 100 g de cookies aux pépites de chocolat, grossièrement émiettés. Poursuivez en suivant les indications ci-dessus.

trifle chocolat-myrtilles

Pour **8 personnes**
Préparation **30 minutes**
  + refroidissement
  et réfrigération
Cuisson **15 minutes**

150 g de **cantuccini
  au chocolat** émiettés
  (dans les épiceries italiennes)
100 ml de **xérès** doux
275 g de **confiture
  de myrtilles** allégée
  en sucre

Crème pâtissière
600 ml de **lait entier**
1 **gousse de vanille**
6 gros **jaunes d'œufs**
2 c. à s. de **sucre
  en poudre**
3 c. à s. de **fécule de maïs**

Topping
500 g de **crème fraîche**
1 c. à c. d'**extrait de vanille**
1 c. à s. de **sucre en poudre**
8 **cantuccini** émiettés
  pour décorer

Mettez les cantuccini émiettés dans un plat de service. Arrosez de xérès et nappez de confiture de myrtilles.

Dans une casserole, portez à ébullition le lait avec la gousse de vanille fendue en deux et ses graines grattées. Retirez la casserole du feu et laissez infuser 5 minutes puis jetez la gousse de vanille.

Fouettez les jaunes d'œufs, le sucre et la fécule de maïs. Versez-y le lait en fouettant. Reversez cette crème dans la casserole. Faites chauffer à feu doux 2 à 3 minutes, en remuant, jusqu'à épaississement. Versez la crème sur la couche de confiture. Laissez refroidir et faites prendre au réfrigérateur.

Fouettez ensemble la crème fraîche, l'extrait de vanille et le sucre. Répartissez cette crème sur la crème pâtissière et parsemez de cantuccini émiettés.

Pour un trifle aux fruits rouges, faites chauffer 500 g de fruits rouges décongelés avec 4 cuillerées à soupe de crème de cassis, 2 cuillerées à soupe d'eau et 50 g de sucre. Sortez les fruits de la casserole à l'aide d'une écumoire et répartissez-les sur les cantuccini arrosés de xérès et nappés de confiture. Mélangez 1 cuillerée à soupe d'arrow-root (épaississant) et 2 cuillerées à soupe d'eau froide puis versez ce mélange dans le jus des fruits rouges. Faites chauffer, en remuant, jusqu'à épaississement, puis versez ce mélange sur les fruits. Préparez la crème pâtissière puis suivez la recette.

gâteau sans cuisson à l'irish coffee

Pour **8 personnes**
Préparation **30 minutes**
  + refroidissement
  et réfrigération
Cuisson **10 minutes**

2 c. à s. de **café soluble**
100 ml d'**eau chaude**
50 g de **sucre en poudre**
3 c. à s. de **whisky
  irlandais**
300 g de **chocolat noir**
  cassé en morceaux
300 ml de **crème fraîche**
200 g de **yaourt grec**
200 g de **biscuits
  à la cuillère**
  ou de **boudoirs**

Pour décorer
copeaux de chocolat
  au lait ou noir (voir page 12)
cacao en poudre

Mélangez le café soluble et l'eau chaude dans une casserole. Ajoutez le sucre et faites chauffer à feu doux jusqu'à ce que le sucre soit dissous. Portez à ébullition et maintenez-la 1 minute. Retirez la casserole du feu et laissez refroidir. Ajoutez le whisky.

Faites fondre le chocolat et la moitié de la crème fraîche au bain-marie (voir page 10). Hors du feu, incorporez le yaourt et le reste de crème fraîche. Laissez épaissir légèrement.

Étalez une partie de la préparation au chocolat sur un plat de service, en couche mince, de manière à obtenir un rectangle de 23 x 10 cm. Trempez un tiers des biscuits dans le sirop au café, sans les imbiber complètement.

Disposez les biscuits côte à côte sur la couche de chocolat. Nappez de crème au chocolat. Trempez la moitié des biscuits restants dans le sirop et posez-les, côte à côte, sur le chocolat. Terminez avec une troisième couche de crème et de biscuits.

Enduisez tout le gâteau de crème au chocolat, y compris sur les côtés. Lissez la crème avec une lame de couteau. Faites prendre au réfrigérateur 3 à 4 heures. Décorez avec des copeaux de chocolat et saupoudrez de cacao en poudre.

tartelettes au chocolat

Pour **8 personnes**
Préparation **10 minutes**
  + réfrigération
Cuisson **5 minutes**

225 g de **chocolat noir**
300 ml de **crème fraîche**
8 **fonds de tartelettes**
  pur beurre (environ 7 cm
  de diamètre)
2 c. à s. de **cacao en poudre**
200 g de **framboises** fraîches
caraques au chocolat noir
  (voir page 13)

Faites fondre le chocolat au bain-marie (voir page 10).
Dans une casserole, faites chauffer la crème fraîche
à feu doux puis versez-la dans le chocolat fondu
et mélangez.

Disposez les fonds de tartelettes sur un plateau.
Garnissez de crème au chocolat et placez 1 heure
au réfrigérateur.

Décorez avec les framboises fraîches, saupoudrez
de cacao et terminez avec quelques caraques.

Pour une variante aux fraises, remplacez le chocolat
noir par 225 g de chocolat au lait, et les framboises
par 200 g de fraises fraîches coupées en lamelles.
Remplacez le cacao en poudre par 1 cuillerée à soupe
de sucre.

cheese-cake au mascarpone et au chocolat

Pour **8 à 10 personnes**
Préparation **20 à 25 minutes**
    + refroidissement
    et réfrigération
Cuisson **50 minutes**

20 **biscuits à la cuillère**
175 g de **chocolat noir**
750 g de **mascarpone**
150 g de **sucre en poudre**
3 **œufs**, blancs
    et jaunes séparés
40 g de **farine** blanche
    ordinaire
3 c. à s. de **grappa**
1 c. à c. d'**extrait de vanille**
2 c. à s. d'**espresso**
    très corsé
2 c. à s. de **liqueur de café**

Pour décorer
caraques marbrées
    (chocolat au lait + chocolat
    blanc) et au chocolat noir
    (voir page 13)
2 c. à s. de **sucre glace**
    tamisé

Tapissez un moule à bord amovible de 23 cm de diamètre de papier sulfurisé. Disposez les biscuits à la cuillère dans le moule. Si nécessaire, rognez les bords des biscuits pour qu'ils recouvrent bien le fond.

Faites fondre le chocolat au bain-marie (voir page 10). **Dans un robot,** mélangez le mascarpone, le sucre et les jaunes d'œufs jusqu'à obtention d'une crème lisse. Prélevez un tiers de cette préparation que vous mettrez dans un saladier. Ajoutez-y la farine, la grappa et l'extrait de vanille, puis mélangez. Versez le chocolat fondu dans le robot avec l'espresso et la liqueur de café, puis mélangez. Versez ce mélange dans un grand saladier.

Montez les blancs d'œufs en neige souple dans un grand saladier. Incorporez deux tiers de cette neige à la préparation au chocolat, et le tiers restant à la préparation « nature ». Étalez la préparation au chocolat sur les biscuits à la cuillère. Finissez avec une couche de crème « nature ».

Faites cuire 45 minutes dans un four préchauffé à 200 °C. Laissez refroidir dans le four légèrement entrouvert.

Quand le gâteau est froid, placez-le au réfrigérateur. Décorez avec les caraques, saupoudrez de sucre glace et servez.

trifle chocolat blanc-fruits rouges

Pour **8 personnes**
Préparation **40 minutes**
  + réfrigération
Cuisson **15 minutes**

1 kg de **fruits rouges**
  surgelés
100 g de **sucre en poudre**
2 c. à c. d'**arrow-root**
  (épaississant)
225 g de **macarons**
  + 8 macarons émiettés
    pour décorer
5 c. à s. de **vermouth rouge**
275 ml de **crème fraîche**
200 g de **chocolat blanc**
  parfumé à la vanille
500 g de **crème pâtissière**
  prête à l'emploi,
  à température ambiante
500 ml de **yaourt grec**
  égoutté
2 c. à s. de **sucre roux**

Faites chauffer les fruits rouges à feu doux avec le sucre, 5 minutes environ, jusqu'à ce que le sucre soit dissous et que les fruits aient dégelé. Égouttez les fruits rouges. Remettez le jus dans la casserole et réchauffez-le. Dans un bol, mélangez l'arrow-root et 1 cuillerée à soupe d'eau froide jusqu'à obtention d'une pâte lisse. Versez ce mélange dans le jus et remuez jusqu'à épaississement.

Disposez les macarons dans le fond de coupes individuelles. Arrosez de vermouth. Ajoutez les fruits et le jus épaissi.

Fouettez légèrement la crème fraîche et réservez-en la moitié au réfrigérateur. Faites fondre le chocolat blanc au bain-marie (voir page 10). Ajoutez-y la moitié de la crème pâtissière et mélangez bien. Retirez la casserole du feu, ajoutez le reste de crème pâtissière puis la moitié de la crème fraîche fouettée. Versez ce mélange sur les fruits puis placez 1 heure au réfrigérateur.

Mélangez le yaourt avec le sucre roux et le reste de crème fraîche. Versez cette préparation sur la crème pâtissière, lissez la surface et parsemez de macarons émiettés.

Pour un trifle aux fruits tropicaux, remplacez les fruits rouges par 1 kg de fruits tropicaux surgelés et faites-les chauffer comme indiqué ci-dessus. Arrosez les macarons avec du vin blanc doux (5 cuillerées à soupe). Versez la crème pâtissière au chocolat blanc et terminez avec la crème fraîche, comme ci-dessus.

bavarois café-chocolat

Pour **10 personnes**
Préparation **45 minutes**
  + congélation
  et réfrigération
Cuisson **10 minutes**

Crème au chocolat
500 ml de **crème liquide**
150 g de **chocolat noir**
  haché
1 c. à c. de **fécule de maïs**
75 g de **sucre en poudre**
4 **jaunes d'œufs**
12 g de **gélatine** en poudre

Crème au café
500 ml de **crème liquide**
1 c. à s. d'**espresso**
  extrêmement corsé
4 c. à s. de **liqueur de café**
1 c. à c. de **fécule de maïs**
75 g de **sucre en poudre**
4 **jaunes d'œufs**
12 g de **gélatine en poudre**

Tapissez un moule à pain d'une contenance de 1 kg de papier sulfurisé et placez-le au congélateur.

Pour la crème au chocolat, faites chauffer la crème liquide à feu doux, puis ajoutez le chocolat et faites-le fondre en remuant. Dans un saladier, mélangez les ingrédients restants sauf la gélatine. Incorporez le chocolat fondu puis remettez cette préparation dans la casserole et faites épaissir sur feu doux en remuant. Incorporez la gélatine, puis reversez le tout dans un saladier. Versez la moitié de la crème au chocolat dans le moule et faites prendre au congélateur 45 minutes.

Pour la crème au café, faites chauffer à feu doux la crème liquide avec l'espresso et la liqueur au café. Dans un saladier, mélangez les ingrédients restants sauf la gélatine. Incorporez-y la préparation au café puis versez le tout dans la casserole et faites chauffer à feu doux en remuant. Incorporez la gélatine, puis reversez le tout dans un saladier. Versez la moitié de la crème au café dans le moule, sur la couche de crème au chocolat et faites prendre au congélateur 30 minutes.

Versez le reste de crème au chocolat dans le moule et congelez 20 minutes. Terminez par une couche de crème au café et congelez 4 heures de plus.

Passez la lame d'un couteau entre le moule et le bavarois, retournez le moule sur un plat et coupez le bavarois en tranches.

crème brûlée aux trois chocolats

Pour **6 personnes**
Préparation **30 minutes**
 + congélation et réfrigération
Cuisson **5 minutes**

8 **jaunes d'œufs**
150 g de **sucre en poudre**
600 ml de **crème fraîche**
125 g de **chocolat noir**
 finement haché
125 g de **chocolat blanc**
 finement haché
125 g de **chocolat au lait**
 finement haché
3 c. à s. d'**Amaretto**
 Di Saronno ou de **cognac**
 (facultatif)

Pour décorer
sucre semoule
caraques en chocolat
 noir, blanc et au lait
 (voir page 13, facultatif)

Mélangez les jaunes d'œufs et la moitié du sucre dans un saladier à l'aide d'une fourchette. Faites chauffer la crème fraîche dans une casserole. Quand la crème est sur le point de bouillir, incorporez-la progressivement au mélange œufs-sucre à l'aide d'un fouet.

Versez cette préparation dans un récipient, en la filtrant, puis répartissez-la dans 3 saladiers. Versez le chocolat noir dans un des saladiers, le chocolat au lait dans un deuxième et le chocolat blanc dans le troisième. Ajoutez éventuellement la liqueur. Remuez jusqu'à ce que le chocolat soit fondu.

Répartissez la crème au chocolat noir dans 6 ramequins. Quand la crème est froide, placez les ramequins au congélateur 10 minutes.

Sortez les ramequins du congélateur. Remuez la crème au chocolat blanc et versez-la sur la couche de crème au chocolat noir. Remettez 10 minutes au congélateur.

Sortez les ramequins, remuez la crème au chocolat au lait et versez-la sur la couche de crème au chocolat blanc. Faites prendre au réfrigérateur 3 à 4 heures. Environ 25 minutes avant de servir, saupoudrez de sucre. Faites caraméliser le sucre sous le gril du four ou à l'aide d'un chalumeau à crème brûlée. Laissez reposer à température ambiante jusqu'au moment de servir puis décorez avec des caraques.

cheese-cake au chocolat

Pour **14 personnes**
Préparation **45 minutes**
 + refroidissement
 et réfrigération
Cuisson **50 minutes**

225 g de **biscuits
 sablés** émiettés
65 g de **beurre** fondu
225 g de **chocolat noir**
225 g de **chocolat blanc**
350 g de **fromage frais**
500 g de **fromage blanc**
175 g de **sucre**
3 **œufs**

Huilez et tapissez de papier sulfurisé le fond d'un moule à bord amovible de 23 cm de diamètre. Mélangez les morceaux de biscuits et le beurre fondu. Étalez cette préparation dans le fond du moule et tassez bien.

Faites fondre le chocolat noir et le chocolat blanc au bain-marie, séparément (voir page 10).

Mixez le fromage frais, le fromage blanc, le sucre et les œufs dans un robot. Versez la moitié de la pâte obtenue dans le saladier contenant le chocolat blanc, et l'autre moitié dans le chocolat noir. Remuez. Versez la moitié de la préparation au chocolat blanc sur le fond de tarte. Versez ensuite tout le contenu de l'autre saladier, et finissez avec l'autre moitié de chocolat blanc. Plongez une brochette dans la crème et faites quelques zigzags pour marbrer le dessus du gâteau.

Faites cuire 50 minutes dans un four préchauffé à 160 °C. Laissez refroidir puis placez au réfrigérateur.

Pour un cheese-cake chocolat-framboises, remplacez les biscuits sablés nature par des biscuits au chocolat et utilisez 450 g de chocolat noir au lieu d'un mélange de chocolat noir et de chocolat blanc. Faites fondre le chocolat avec 50 g de beurre, puis incorporez 2 cuillerées à soupe de cacao en poudre. Dans un saladier, mélangez 500 g de fromage frais, 200 g de sucre et 3 gros œufs, puis ajoutez le chocolat fondu. Incorporez 600 ml de crème aigre. Faites cuire et refroidir comme indiqué ci-dessus. Décorez avec 250 g de framboises.

panna cotta au chocolat et à la liqueur

Pour **2 personnes**
Préparation **10 minutes**
  + réfrigération
Cuisson **5 minutes**

125 ml de **crème fraîche**
150 ml de **lait**
3 c. à s. de **sucre roux**
50 ml de **liqueur de chocolat**
40 g de **chocolat noir**
  haché grossièrement
1 ½ c. à c. de **gélatine**
  en poudre
1 c. à c. d'**extrait de vanille**
4 **grains de café enrobés
  de chocolat blanc**

Faites chauffer 100 ml de crème fraîche dans une petite casserole avec le lait, le sucre, 1 cuillerée à soupe de liqueur de chocolat et le chocolat. Remuez délicatement jusqu'à ce que le chocolat soit fondu. Portez à ébullition.

Hors du feu, saupoudrez de gélatine et laissez reposer 5 minutes. Remuez, ajoutez l'extrait de vanille et remuez de nouveau. Filtrez la préparation.

Huilez 2 petits moules d'une contenance de 150 ml et tapissez-les de film alimentaire. Versez la préparation dans les moules et placez-la 2 heures au réfrigérateur.

Démoulez sur 2 assiettes et retirez le film. Mélangez le reste de crème fraîche et de liqueur de chocolat. Versez ce mélange sur les assiettes. Décorez avec un grain de café au chocolat blanc.

Pour une panna cotta au chocolat blanc et au miel, remplacez le sucre roux par 1 cuillerée à soupe de sucre en poudre et 2 cuillerées à soupe de miel, et le chocolat noir par 75 g de chocolat blanc. Suivez la recette ci-dessus. Décorez avec un grain de café enrobé de chocolat noir.

pyramide au chocolat et aux fruits secs

Pour **10 personnes**
Préparation **20 minutes**
+ refroidissement et prise
Cuisson **10 minutes**

300 g de **chocolat au lait**
cassé en morceaux
100 ml de **lait concentré**
175 g de **biscuits sablés**
cassés en petits morceaux
125 g de **dattes,**
de **pruneaux**
ou d'**abricots secs,**
dénoyautés et hachés
grossièrement
100 g de **fruits à coque**
mélangés (noix, amandes…)
50 g de **chocolat noir**

Faites chauffer le chocolat au lait et le lait concentré
à feu doux dans une casserole à fond épais. Remuez
souvent jusqu'à ce que le chocolat soit fondu.
Retirez la casserole du feu et versez la préparation
dans un saladier. Laissez reposer jusqu'à ce que le
mélange soit froid mais pas figé. Ajoutez les biscuits,
les fruits secs et les fruits à coque.

Huilez le fond et trois côtés d'un moule carré à bord
haut de 18 cm de côté. Tapissez les parties huilées
de film alimentaire. Glissez une cale sous le bord non
huilé de manière que le moule soit incliné à 45°. Versez
la préparation dans le moule et lissez la surface. Laissez
reposer jusqu'à ce que le mélange soit ferme puis placez
au réfrigérateur pour faire prendre complètement.
Démoulez le gâteau et retirez le film alimentaire.

Faites fondre le chocolat noir (voir page 10). Avec
une petite cuillère, dessinez des lignes de chocolat
fondu sur le gâteau. Laissez prendre de nouveau puis
coupez le gâteau en tranches fines.

Pour une variante aux fruits rouges, remplacez
les fruits secs (abricots, noisettes, dattes, amandes,
etc.) par 125 g de fruits rouges séchés et 100 g de
macarons émiettés. Tapissez un moule à pain d'une
contenance de 1 kg de film alimentaire et suivez
la recette ci-dessus. Pour décorer, remplacez
le chocolat noir par du chocolat blanc.

tourte glacée double chocolat

Pour **8 personnes**
Préparation **15 minutes**
  + congélation
Cuisson **5 minutes**

500 ml de **glace**
  au chocolat de qualité
75 g de **beurre**
200 g de **biscuits sablés**
  au chocolat noir émiettés
  grossièrement
2 grosses **bananes** coupées
  en rondelles
1 c. à s. de **jus de citron**
1 grande **barre chocolatée**
  au caramel (style Mars
  King Size), coupée
  en tranches fines

Sortez la glace du congélateur et laissez-la ramollir.
Huilez et tapissez de papier sulfurisé le fond d'un
moule à fond amovible et à bords cannelés de 20 cm
de diamètre.

Faites fondre le beurre dans une casserole. Mélangez
le beurre fondu et les biscuits émiettés. Étalez cette
préparation au fond du moule et tassez bien.

Tournez les rondelles de bananes dans le jus de citron
et répartissez-les sur les biscuits.

Étalez la glace sur les bananes en vous aidant
d'une palette.

Répartissez les tranches de barre chocolatée
sur le dessus. Placez la préparation au moins 1 heure
au congélateur avant de servir.

Pour une variante à la confiture de lait, remplacez
les biscuits au chocolat et le beurre par 200 g de sablés
nature et 400 g de confiture de lait (ou « dulce de leche »).
Poursuivez en suivant les indications ci-dessus
en remplaçant la glace au chocolat par de la glace
au caramel de qualité.

moelleux

petits fondants chocolat-moka

Pour **10 fondants**
Préparation **15 minutes**
Cuisson **20 minutes**

200 g de **chocolat noir**
250 g de **beurre**
4 c. à s. de **liqueur de café**
1 c. à s. d'**espresso**
  extrêmement corsé
4 **gros œufs**
  + 2 **jaunes d'œufs**
125 g de **sucre en poudre**
65 g de **farine**
  complète tamisée
2 c. à s. de **sucre glace**

Faites fondre le chocolat et le beurre au bain-marie (voir page 10). Quand le chocolat est fondu, retirez la casserole du feu et ajoutez la liqueur de café et l'espresso. Remuez jusqu'à obtention d'un mélange satiné.

Fouettez ensemble les œufs entiers, les jaunes d'œufs et le sucre dans un saladier, pendant 10 minutes, jusqu'à ce que le mélange double de volume. Ajoutez le chocolat fondu et la farine, ainsi que le son de blé resté dans le tamis. Mélangez le tout.

Huilez 10 ramequins d'une contenance de 150 ml chacun. Versez-y la pâte puis posez-les sur une plaque de cuisson. (Vous pouvez préparer la pâte plusieurs heures à l'avance et la conserver au réfrigérateur en attendant de l'enfourner.) Faites cuire 10 à 12 minutes dans un four préchauffé à 200 °C. Les fondants sont cuits lorsqu'ils sont fermes sur le tour mais encore spongieux au centre.

Saupoudrez de sucre glace et servez aussitôt (plus vous attendrez avant de les déguster, moins ils seront moelleux).

Pour des fondants chocolat-orange, remplacez le chocolat noir par du chocolat noir parfumé à l'orange, et la liqueur de café par 4 cuillerées à soupe de liqueur d'orange. Remplacez l'espresso par 4 cuillerées à soupe de jus d'orange et 2 cuillerées à soupe de zeste d'orange finement râpé. Suivez la recette ci-dessus.

croissants chauds au chocolat

Pour **3 personnes**
Préparation **15 minutes**
Cuisson **15 minutes**

2 c. à s. de **cacao
  en poudre**
3 c. à s. de **sucre glace**
100 ml de **lait**
500 g de **crème pâtissière**
  prête à l'emploi
3 gros **croissants**
6 c. à s. de **chocolat
  à tartiner** prêt à l'emploi
  ou de pâte à tartiner
  maison (voir page 128)

Mélangez le cacao en poudre et 2 cuillerées à soupe
de sucre glace dans un saladier. Versez progressivement
le lait et remuez jusqu'à obtention d'une pâte lisse.
Ajoutez la crème pâtissière petit à petit et fouettez.

Ouvrez les croissants et tartinez-les de pâte
au chocolat. Refermez-les et disposez-les dans
un plat à gratin.

Versez la crème au chocolat autour des croissants
et faites cuire 15 minutes dans un four préchauffé
à 200 °C. Saupoudrez de sucre glace et servez.

Pour un panettone au chocolat, préparez la crème
au chocolat comme indiqué ci-dessus, en ajoutant
2 cuillerées à soupe de cognac et le zeste finement
râpé de 1 citron. Étalez 25 g de beurre sur 6 tranches
de panettone. Disposez les tranches beurrées dans
un plat à gratin, arrosez de crème au chocolat et faites
cuire comme ci-dessus. Saupoudrez de sucre glace
et servez.

risotto au chocolat

Pour **4 personnes**
Préparation **5 minutes**
Cuisson **20 minutes**

600 ml de **lait**
25 g de **sucre en poudre**
50 g de **beurre**
125 g de **riz pour risotto**
   (arborio ou carnaroli)
50 g de **noisettes** grillées
   et hachées
50 g de **raisins secs** blonds
125 g de **chocolat noir**
   de qualité, râpé + quelques
   pincées pour décorer
cognac (facultatif)

Faites chauffer le lait et le sucre dans une casserole.
Quand le mélange est sur le point de bouillir, retirez
la casserole du feu.

Faites fondre le beurre dans une casserole à fond
épais. Versez le riz et remuez pour bien enduire les
grains. Versez une louche de lait chaud dans le riz
et remuez. Quand le riz a absorbé tout le lait, ajoutez
une autre louche. Poursuivez ainsi jusqu'à ce qu'il n'y
ait plus de lait. Le riz doit être *al dente*, et la sauce,
crémeuse.

Ajoutez les noisettes, les raisins secs et le chocolat,
et éventuellement un trait de cognac. Remuez jusqu'à
obtention d'un effet marbré. Saupoudrez de chocolat
râpé et servez.

Pour un risotto à l'orange et au chocolat au lait,
ajoutez dans le mélange lait-sucre le zeste finement
râpé de 1 orange. Préparez le risotto comme ci-dessus,
puis incorporez 2 cuillerées à soupe de jus d'orange,
125 g de chocolat au lait râpé et 75 g de fruits tropicaux
séchés et hachés à la place des noisettes, des raisins
secs et du chocolat noir. Saupoudrez de chocolat
au lait râpé et servez.

moelleux et compote de cerises

Pour **6 personnes**
Préparation **20 minutes**
  + refroidissement
Cuisson **18 minutes**

Compote de cerises
50 g de **sucre en poudre**
2 c. à s. d'**eau**
125 g de **cerises fraîches**
  coupées en deux
  et dénoyautées + 100 g
  de cerises entières
150 ml de **moscato**
  (vin blanc italien)
100 g de **cerises fraîches**
  entières avec leurs queues

Moelleux
175 g de **chocolat noir**
175 g de **beurre**
4 **œufs**
4 **jaunes d'œufs**
75 g de **sucre en poudre**
75 g de **farine**
  ordinaire tamisée

Faites chauffer le sucre et l'eau dans une casserole
2 minutes. Quand le sucre est dissous, ajoutez
les cerises coupées en deux. Faites cuire 1 minute,
en remuant. Versez le moscato et portez à ébullition.
Laissez bouillonner 5 minutes pour que le mélange
réduise. Ajoutez les cerises entières et poursuivez
la cuisson 1 minute. Laissez refroidir.

Faites fondre le chocolat et le beurre au bain-marie
(voir page 10).

Fouettez ensemble les œufs entiers, les jaunes d'œufs
et le sucre jusqu'à ce que le mélange double de volume.
Ajoutez le chocolat fondu, remuez puis incorporez
la farine.

Huilez 6 cercles à gâteaux individuels de 8 cm
de diamètre et posez-les sur une plaque de cuisson
recouverte de papier sulfurisé. Vous pouvez aussi
utiliser 6 petits moules dans le fond desquels vous
aurez mis un disque de papier sulfurisé. Versez la pâte
dans les cercles et faites cuire 8 minutes dans un four
préchauffé à 190 °C. Les gâteaux doivent être fermes
sur le tour mais moelleux au centre. (Les gâteaux
non cuits peuvent se conserver jusqu'à 5 heures au
frais avant d'être enfournés. Faites-les cuire pendant
9 minutes.)

Retirez les cercles ou, si vous avez utilisé des moules,
démoulez les gâteaux. Arrosez de sirop et servez
la compote de cerises à part. Décorez les assiettes
avec des cerises entières.

pudding chocolat sauce caramel

Pour **6 personnes**
Préparation **20 minutes**
Cuisson **2 heures**

75 g de **beurre**
150 g de **sucre roux**
le **zeste** finement râpé
   de 1 **orange**
2 **œufs**
150 g de **farine**
   à levure incorporée
25 g de **cacao en poudre**
½ c. à c. de **bicarbonate**
   de soude
100 g de **chocolat au lait**
   haché
crème liquide ou **crème**
   anglaise prête à l'emploi

Sauce caramel
125 g de **sucre roux**
75 g de **beurre**
4 c. à s. de **jus d'orange**
50 g de **dattes** dénoyautées
   et hachées

Fouettez le beurre, le sucre, le zeste d'orange et les œufs dans un grand saladier. Incorporez la farine, le cacao et le bicarbonate de soude tamisés puis le chocolat.

Huilez un moule à pudding d'une contenance de 1,2 litre et tapissez le fond de papier sulfurisé. Versez la pâte dans le moule et lissez la surface. Couvrez avec une double épaisseur de papier sulfurisé et une feuille de papier d'aluminium. Attachez le tout avec une ficelle nouée sous le rebord du moule.

Versez 5 cm d'eau dans une grande marmite. Portez à ébullition. Plongez le moule à pudding dans l'eau et fermez la marmite avec un couvercle. Faites cuire 1 h 30, en ajoutant de l'eau dans la marmite si nécessaire.

Faites chauffer le sucre, le beurre et le jus d'orange à feu doux. Quand le sucre est dissous, portez le mélange à ébullition et maintenez-la 1 minute. Ajoutez les dattes et faites cuire 1 minute de plus. Au moment de servir, retournez le moule sur un plat et arrosez le pudding de sauce aux dattes. Servez avec de la crème liquide ou de la crème anglaise.

Pour une crème anglaise au chocolat à servir en accompagnement à la place de la sauce aux dattes et de la crème liquide, faites fondre au bain-marie 50 g de chocolat noir haché et 600 ml de crème liquide. Retirez du feu. Dans un saladier, fouettez 4 jaunes d'œufs, 50 g de sucre et 1 cuillerée à soupe de fécule de maïs. Ajoutez le chocolat fondu et fouettez. Reversez le tout dans la casserole et faites épaissir à feu doux, en remuant.

pudding brioché au chocolat

Pour **4 personnes**
Préparation **10 minutes**
  + refroidissement
Cuisson **30 minutes**

15 g de **beurre**
75 g de **chocolat noir**
  cassé en morceaux
1 c. à s. de **sucre
  en poudre**
300 ml de **lait demi-écrémé**
2 gros **œufs**
3 petites **brioches** coupées
  en quatre tranches
  chacune
sucre glace
crème liquide allégée
  (facultatif)

Dans une casserole, faites chauffer à feu doux le beurre, le chocolat, le sucre et le lait. Quand le sucre est dissous et que le chocolat est fondu, retirez la casserole du feu et laissez refroidir légèrement.

Fouettez les œufs dans un saladier. Incorporez progressivement le chocolat fondu, tout en fouettant.

Huilez un plat à gratin rectangulaire de 18 x 23 cm. Trempez chaque tranche de brioche dans la préparation au chocolat. Disposez les tranches dans le plat.

Versez dans le plat le reste de lait chocolaté. Faites cuire 25 à 30 minutes dans un four préchauffé à 200 °C jusqu'à ce que le pudding ait gonflé et soit juste pris. Saupoudrez de sucre glace et servez avec de la crème liquide allégée si vous le souhaitez.

Pour une variante caramélisée, mélangez 100 g de beurre et 100 g de cassonade dans une casserole. Ajoutez 50 g de chocolat en poudre et faites chauffer à feu doux. Quand le sucre est dissous, versez progressivement 300 ml de lait, et continuez de fouetter jusqu'à obtention d'un mélange lisse. Dans un saladier, fouettez 2 gros œufs. Incorporez progressivement la préparation chocolat-caramel dans les œufs, tout en fouettant. Reversez cette préparation dans la casserole et faites épaissir à feu doux, sans cesser de remuer. Procédez ensuite comme indiqué ci-dessus.

crêpes au chocolat et à la ricotta

Pour **4 crêpes**
Préparation
  25 à 30 minutes
Cuisson **25 à 35 minutes**

Pour les crêpes
125 g de **farine** ordinaire
2 c. à s. de **sucre en poudre**
1 **œuf**
300 ml de **lait**
beurre ou **huile végétale**
  pour la cuisson

Garniture
15 g de **gingembre
  confit** haché finement
2 c. à s. de **sucre en
  poudre** + quelques pincées
250 g de **ricotta**
50 g de **raisins secs**
150 g de **chocolat blanc**
  haché finement
3 c. à s. de **crème épaisse**

Sauce au chocolat
125 g de **sucre en poudre**
100 ml d'**eau**
200 g de **chocolat noir**
  cassé en morceaux
25 g de **beurre**

Tamisez la farine au-dessus d'un saladier. Ajoutez le sucre et mélangez. Ajoutez l'œuf et un peu de lait puis mélangez jusqu'à obtention d'une pâte lisse. Incorporez le reste de lait.

Faites chauffer un peu de beurre ou d'huile dans une poêle de 18 cm de diamètre jusqu'à ce qu'il commence à fumer. Jetez l'excédent de matière grasse puis versez un peu de pâte à crêpes en inclinant la poêle. Faites cuire 1 à 2 minutes.

Retournez la crêpe avec une spatule et poursuivez la cuisson 30 à 45 secondes. Faites glisser la crêpe sur une assiette. Faites cuire les autres crêpes.

Dans un bol, mélangez le gingembre confit avec le sucre, la ricotta, les raisins secs, le chocolat blanc et la crème épaisse. Répartissez cette préparation au centre des crêpes, puis pliez-les en quatre pour enfermer la garniture.

Disposez les crêpes dans un plat à gratin beurré. Saupoudrez-les de sucre. Faites cuire 10 minutes dans un four préchauffé à 200 °C.

Pour la sauce, faites fondre le sucre dans 100 ml d'eau. Portez à ébullition et maintenez l'ébullition 1 minute. Hors du feu, ajoutez le chocolat. Laissez-le fondre, puis incorporez le beurre. Servez cette sauce avec les crêpes chaudes.

petits soufflés au chocolat blanc

Pour **4 soufflés**
Préparation **30 minutes**
 + refroidissement
Cuisson **15 à 20 minutes**

beurre
75 g de **sucre en poudre**
 + 4 c. à c.
 pour les ramequins
3 **jaunes d'œufs**
40 g de **farine** ordinaire
250 ml de **lait**
175 g de **chocolat blanc**
 haché grossièrement
1 c. à c. d'**extrait de vanille**
5 **blancs d'œufs**
chocolat en poudre
 et **sucre glace** tamisés

Sauce au chocolat
150 g de **chocolat noir**
 cassé en morceaux
125 ml de **lait**
4 c. à s. de **crème fraîche**
25 g de **sucre en poudre**

Beurrez 4 petits moules à soufflé (10 cm de diamètre et 6 cm de haut). Versez 1 cuillerée à café de sucre dans chaque moule et tapissez-en les parois. Posez les moules sur une plaque de cuisson.

Fouettez la moitié du sucre restant et les jaunes d'œufs dans un saladier. Incorporez la farine tamisée.

Portez le lait à ébullition. Versez progressivement le lait dans le mélange œufs-sucre-farine, tout en fouettant. Reversez le tout dans la casserole et faites épaissir à feu doux, sans cesser de remuer. Hors du feu, ajoutez la moitié du chocolat blanc et faites-le fondre. Ajoutez l'extrait de vanille, couvrez et laissez refroidir.

Montez les blancs d'œufs en neige ferme. Incorporez progressivement le reste de sucre. Déposez une grande cuillerée de blanc d'œuf dans la préparation refroidie et mélangez pour en ramollir la texture. Incorporez le reste de chocolat blanc haché. Ajoutez le reste des blancs en neige et remuez en soulevant la pâte avec une spatule.

Versez la pâte dans les moules et faites cuire 10 à 12 minutes dans un four préchauffé à 220 °C.

Faites chauffer tous les ingrédients de la sauce à feu doux, en remuant. Versez cette sauce dans une saucière. Saupoudrez les soufflés de chocolat en poudre et de sucre glace, arrosez-les avec un filet de sauce au chocolat, et servez aussitôt.

gâteaux de fête

gâteau au chocolat blanc

Pour **8 personnes**
Préparation **10 minutes**
 + refroidissement
Cuisson **45 minutes**

475 g de **chocolat blanc**
125 g de **beurre**
3 gros **œufs**, blancs
 et jaunes séparés
125 g de **sucre en poudre**
75 g de **farine complète
 à levure incorporée**,
 tamisée
50 g de **poudre d'amandes**

Faites fondre 225 g de chocolat et le beurre au bain-marie (voir page 10). Réservez le reste de chocolat pour décorer.

Fouettez les jaunes d'œufs et le sucre. Incorporez progressivement le chocolat fondu. Ajoutez la farine ainsi que le son de blé resté dans le tamis et la poudre d'amandes.

Montez les blancs d'œufs en neige souple dans un grand saladier. Incorporez une grosse cuillerée de blanc en neige dans la préparation au chocolat pour la fluidifier légèrement. Incorporez ensuite les blancs restants à l'aide d'une grande spatule en métal.

Huilez et tapissez de papier sulfurisé un moule à bord amovible de 20 cm de diamètre. Versez la préparation dans le moule et faites cuire 45 minutes dans un four préchauffé à 180 °C. Vérifiez la cuisson en enfonçant une brochette au centre du gâteau : elle doit en ressortir sèche.

Laissez refroidir 10 minutes dans le moule. Ôtez le bord amovible et laissez refroidir complètement. Râpez la moitié du chocolat blanc restant (voir page 12) et faites fondre l'autre moitié au bain-marie. Versez le chocolat fondu sur le gâteau puis parsemez-le de chocolat râpé.

bombe marbrée

Pour **20 personnes**
Préparation **1 heure**
  + refroidissement
Cuisson **1 h 15**

250 g de **beurre**
250 g de **sucre en poudre**
quelques gouttes d'**extrait de vanille**
5 **œufs** légèrement battus
250 g de **farine à levure incorporée** + un peu pour le moule
100 g de **pépites de chocolat blanc**
100 g de **pépites de chocolat noir**
25 g de **cacao en poudre**
75 g de **confiture d'abricots** chauffée
1 **grain de café enrobé de chocolat blanc**

Sirop
50 g de **sucre**
100 ml d'**eau**
50 ml de **liqueur d'orange**

Décoration
1 c. à s. de **glucose liquide** ou de **liqueur d'orange**
450 g de **pâte d'amandes** blanche
50 g de **cacao en poudre**

Mélangez le beurre, le sucre, la vanille, les œufs et la farine. Divisez cette préparation en deux. Incorporez les pépites de chocolat blanc dans un des saladiers, et les pépites de chocolat noir et le cacao, dans l'autre.

Huilez et farinez un moule en dôme. Versez les deux préparations dans le moule, tour à tour, puis marbrez la pâte à l'aide d'un couteau. Faites cuire 1 heure à 1 h 15 dans un four préchauffé à 180 °C. Laissez refroidir 15 minutes dans le moule. Démoulez le gâteau sur une grille et laissez-le reposer 30 minutes.

Pour le sirop, faites bouillir le sucre dans 100 ml d'eau. Quand le mélange est sirupeux, ajoutez la liqueur hors du feu.

Pour la décoration, travaillez la pâte d'amandes, le glucose et le cacao avec les doigts. Étalez deux tiers de cette pâte au rouleau, entre deux feuilles de papier sulfurisé, de manière à obtenir un disque de 40 cm. Façonnez de grandes ondulations sur toute la surface.

Posez le gâteau sur un plat. Arrosez-le de sirop et badigeonnez-le de confiture chaude. Posez le disque de pâte d'amandes sur le dôme et coupez l'excédent à la base du gâteau. Étalez le reste de pâte d'amandes et découpez 20 fleurs de 2,5 cm. Formez une boule avec les chutes, abaissez-la et découpez 3 fleurs plus grandes, de différentes tailles, que vous poserez sur le dôme. Disposez les petites fleurs à la base du gâteau, sur tout le tour. Posez un grain de café enrobé de chocolat blanc sur le sommet.

tranches fondantes au chocolat

Pour **12 à 14 personnes**
Préparation **20 minutes**
 + refroidissement
Cuisson **45 minutes**

250 g de **chocolat noir**
250 g de **beurre**
5 **œufs**
50 g de **sucre roux**
125 g de **farine**
 à levure incorporée
75 g de **poudre d'amandes**

Ganache au chocolat
150 ml de **crème fraîche**
150 g de **chocolat noir**
 haché

Faites fondre le chocolat et le beurre au bain-marie. Fouettez les œufs et le sucre. Incorporez la farine tamisée, la poudre d'amandes et le chocolat fondu.

Huilez un moule carré de 23 cm de côté et tapissez-le de papier sulfurisé. Versez la pâte dans le moule et faites cuire 35 minutes dans un four préchauffé à 160 °C. Démoulez et laissez refroidir sur une grille.

Pour la ganache, faites chauffer la crème fraîche dans une casserole. Quand elle est sur le point de bouillir, retirez la casserole du feu et ajoutez le chocolat. Laissez reposer. Quand le chocolat est fondu, remuez jusqu'à obtention d'un mélange lisse. Versez la ganache dans un bol et laissez refroidir jusqu'à épaississement.

Coupez le dessus du gâteau s'il a gonflé au centre. Coupez-le en deux et assemblez les deux parties avec un tiers de la ganache. Répartissez le reste de ganache sur le dessus et sur les côtés du gâteau. À l'aide d'une spatule, dessinez des ondulations décoratives dans la ganache. Coupez-le en tranches puis servez.

Pour une variante chocolat-caramel aux noix de pécan, ajoutez 75 g de noix de pécan hachées dans la pâte, en même temps que la poudre d'amandes, et faites cuire comme indiqué ci-dessus. Remplacez la ganache au chocolat par 500 g de confiture de lait. Étalez-en une moitié au centre du gâteau, et l'autre moitié sur le dessus. Décorez avec 8 moitiés de noix de pécan.

gâteau roulé tout chocolat

Pour **8 personnes**
Préparation **30 minutes**
 + refroidissement
Cuisson **15 minutes**

175 g de **chocolat noir**
5 **œufs**, blancs
 et jaunes séparés
175 g de **sucre en poudre**
 + quelques pincées
275 ml de **crème fraîche**
6 c. à s. de **sauce
 au chocolat** toute faite
1 c. à s. de **sucre glace**
 tamisé
6 c. à s. de **sauce
 au caramel** toute faite
feuilles en chocolat
 (voir page 13)

Faites fondre le chocolat au bain-marie (voir page 10).
Dans un saladier, fouettez les jaunes d'œufs
et le sucre. Incorporez le chocolat fondu.

Montez les blancs d'œufs en neige ferme. À l'aide
d'une grande spatule en métal, incorporez une grosse
cuillerée de blanc en neige dans la préparation au
chocolat pour la fluidifier. Incorporez délicatement
les blancs restants.

Huilez un moule à roulé rectangulaire de 33 x 23 cm
et tapissez-le de papier sulfurisé. Versez la pâte dans
le moule. Étalez-la pour qu'elle aille bien jusque dans
les coins. Faites cuire 15 minutes dans un four préchauffé
à 180 °C. Le gâteau doit être juste ferme au toucher.
Sortez le gâteau du four et recouvrez-le d'un torchon
humide propre. Laissez-le refroidir 1 à 2 heures.

Fouettez la crème fraîche jusqu'à ce que des pointes
souples se forment. Incorporez la sauce au chocolat.
Réservez 2 cuillerées à soupe de cette crème. Incorporez
le sucre glace.

Saupoudrez généreusement de sucre semoule un
grand morceau de papier sulfurisé. Démoulez le gâteau
sur le papier sucré. Étalez la sauce au caramel sur
le gâteau jusqu'à 1 cm des bords. Nappez ensuite
de crème au chocolat. Enroulez le gâteau sur lui-même
en partant du petit côté. Déposez le roulé sur un plat
de service. Décorez avec les feuilles en chocolat, en
les collant avec le reste de crème au chocolat.

meringues chocolat-moka

Pour **8 personnes**
Préparation **15 minutes**
  + refroidissement
Cuisson **1 heure**

6 **blancs d'œufs**
350 g de **sucre roux**
2 c. à c. d'**extrait de vanille**
2 c. à s. de **fécule de maïs**
1 c. à s. d'**espresso soluble**
1 c. à s. de **vinaigre
  de vin blanc**
75 g de **chocolat noir**
  cassé en morceaux
8 c. à s. de **yaourt grec**
8 c. à c. de **miel liquide**
8 **figues**

Montez les blancs d'œufs en neige ferme dans
un saladier.

Incorporez progressivement le sucre, 1 cuillerée à soupe
à la fois. Dans un saladier, mélangez l'extrait de vanille
avec la fécule de maïs, l'espresso et le vinaigre. Incorporez
délicatement ce mélange aux blancs d'œufs, en même
temps que les morceaux de chocolat.

Garnissez une plaque de cuisson de papier sulfurisé.
Déposez 8 grosses cuillerées à soupe de pâte
à meringues sur la plaque. Faites cuire 1 heure
dans un four préchauffé à 150 °C. Laissez refroidir.

Déposez une meringue sur chaque assiette. Arrosez
de miel liquide et déposez, à côté de la meringue, une
cuillerée de yaourt. Faites deux grandes entailles dans
les figues et pressez-les délicatement à la base pour
qu'elles s'ouvrent. Déposez une figue sur chaque
assiette.

**Pour une variante plus chocolatée, avec du yaourt
au gingembre,** remplacez la fécule de maïs par
2 cuillerées à soupe de cacao en poudre et préparez
les meringues comme ci-dessus. Dans un saladier,
mélangez 4 cuillerées à soupe de yaourt grec avec
4 cuillerées à soupe de crème fraîche fouettée,
1 cuillerée à soupe de sirop de gingembre et 1 pincée
de gingembre en poudre. Servez chaque meringue
avec une cuillerée de cette préparation et des petits
morceaux de gingembre confit.

fondant chocolat-myrtilles

Pour **12 personnes**
Préparation **20 minutes**
  + refroidissement
Cuisson **50 minutes**

225 g de **sucre en poudre**
100 ml d'**eau**
325 g de **chocolat noir**
225 g de **beurre**
5 **œufs**
300 g de **myrtilles**
12 c. à c. de **crème de cassis**

Faites chauffer 150 g de sucre avec l'eau, à feu doux. Quand le mélange est légèrement sirupeux, retirez la casserole du feu.

Faites fondre le chocolat et le beurre au bain-marie (voir page 10). Versez le sirop chaud dans le chocolat fondu, puis retirez la casserole du feu. Fouettez le reste de sucre avec les œufs. Incorporez-y la préparation au chocolat.

Huilez un moule à bord amovible de 23 cm de diamètre et tapissez-le de papier sulfurisé. Versez-y la pâte. Posez le moule sur un dessous-de-plat, dans un plat à gratin. Remplissez le plat à gratin d'eau bouillante jusqu'aux trois quarts de sa hauteur. Faites cuire 50 minutes dans un four préchauffé à 120 °C.

Laissez refroidir le gâteau dans le moule, sans le sortir de l'eau. Servez des parts de fondant avec quelques myrtilles et un trait de crème de cassis.

Pour un fondant moka-amaretti, remplacez les 325 g de chocolat noir par 200 g de chocolat noir et 125 g de chocolat au lait. Faites fondre le chocolat avec 225 g de beurre et 3 cuillerées à soupe d'espresso très corsé. Répartissez 150 g d'amaretti émiettés dans le fond du moule huilé et tapissé de papier sulfurisé. Poursuivez en suivant les indications ci-dessus. Quand le fondant est froid, coupez-le en quartiers que vous saupoudrerez de sucre glace. Parsemez de framboises fraîches (300 g) et arrosez d'un trait de liqueur de framboise (1 cuillerée à café par assiette).

couronne au chocolat

Pour **12 personnes**
Préparation **20 minutes**
 + refroidissement
Cuisson **40 minutes**

175 g de **farine**
 à levure incorporée
50 g de **cacao en poudre**
2 c. à c. de **levure chimique**
175 g de **sucre en poudre**
175 g de **beurre** fondu
4 **œufs**
2 c. à c. d'**extrait de vanille**
4 c. à s. de **lait**
quelques **cerneaux de noix**
 pour décorer

Nappage
300 g de **chocolat noir**
 cassé en morceaux
4 c. à s. de **lait**
50 g de **beurre**
225 g de **sucre glace**
 + quelques pincées
 pour décorer

Tamisez la farine, le cacao et la levure au-dessus d'un saladier. Ajoutez le sucre, le beurre, les œufs, l'extrait de vanille et le lait puis fouettez jusqu'à obtention d'un mélange homogène.

Huilez et tapissez de papier sulfurisé le fond d'un moule à savarin d'une contenance de 1,8 litre. Versez la pâte dans le moule et lissez la surface. Faites cuire 35 minutes dans un four préchauffé à 180 °C. À l'aide d'une palette, décollez le gâteau des parois du moule puis retournez le moule sur une grille et laissez refroidir.

Préparez le nappage. Faites chauffer le chocolat et le lait à feu doux, dans une casserole à fond épais, en remuant. Quand le chocolat est fondu, incorporez le beurre. Ajoutez le sucre glace et laissez refroidir légèrement.

Coupez le gâteau en trois, horizontalement. Fouettez de nouveau le nappage jusqu'à ce qu'il ait la consistance d'une ganache. Reconstituez le gâteau en assemblant les trois parties avec une mince couche de nappage. À l'aide d'une spatule, étalez le reste de nappage sur le gâteau. Décorez avec les cerneaux de noix et saupoudrez de sucre glace.

Pour une couronne aux noix, ajoutez à la pâte 50 g de noix finement hachées. Servez le gâteau avec de la crème fraîche parfumée à l'orange (le zeste finement râpé de 1 orange pour 200 g de crème fraîche).

tartelettes chocolat blanc-airelles

Pour **6 personnes**
Préparation **30 minutes**
+ refroidissement
et réfrigération
Cuisson **20 minutes**

250 g d'**airelles** surgelées
50 g de **sucre en poudre**
4 c. à s. de **crème
de cassis**
200 g de **chocolat blanc
parfumé à la vanille**
300 g de **fromage
frais** allégé
1 c. à c. d'**extrait de vanille**
2 c. à s. de **gelée d'airelles**
6 **fonds de tartelette**
pur beurre

Faites chauffer les airelles, le sucre et la crème
de cassis à feu doux. Quand les airelles sont fondantes,
égouttez-les et laissez-les refroidir. Réservez le jus.

Faites fondre le chocolat blanc au bain-marie
(voir page 10). Ajoutez le fromage frais et la vanille
puis fouettez. Couvrez et placez au réfrigérateur.

Versez la gelée d'airelles dans le jus d'airelles.
Faites chauffer à feu doux, en remuant, jusqu'à ce que
la gelée soit dissoute.

Versez la crème au chocolat blanc dans les fonds de
tartelette, 1 à 2 heures avant de servir. Répartissez les
airelles sur cette crème et nappez de sirop aux airelles.
Placez au réfrigérateur jusqu'au moment de servir.

Pour réaliser des fonds de tartelette maison,
travaillez 175 g de farine avec 75 g de beurre. Incorporez
50 g de sucre glace et 2 jaunes d'œufs. Emballez le
pâton dans du film alimentaire et placez-le 30 minutes
au réfrigérateur. Huilez et tapissez de papier sulfurisé
le fond de 6 moules à tartelette de 8 cm de diamètre.
Façonnez 6 boulettes de pâte. Garnissez les moules
en pressant la pâte avec les doigts. Placez 20 minutes
au réfrigérateur. Éliminez l'excédent de pâte, couvrez
de papier sulfurisé, remplissez de haricots secs et faites
cuire à blanc 8 minutes dans un four préchauffé à 190 °C.
Retirez les haricots et le papier, et poursuivez la cuisson
4 minutes. Laissez refroidir dans les moules 10 minutes,
puis démoulez sur une grille.

gâteau très chocolat

Pour **12 à 14 personnes**
Préparation **25 minutes**
+ refroidissement et prise
Cuisson **40 minutes**

200 g de **chocolat noir**
2 c. à s. de **lait**
175 g de **beurre**
175 g de **sucre en poudre**
175 g de **noisettes**
ou d'**amandes en poudre**
40 g de **farine** ordinaire
5 **œufs**, blancs
et jaunes séparés
3 c. à s. d'**eau chaude**

Sirop
25 g de **sucre en poudre**
4 c. à s. de **cognac**
ou de **liqueur d'orange**
ou **de café**
50 ml d'**eau**

Nappage
5 c. à s. de **confiture
d'abricots**
25 g de **sucre en poudre**
75 ml d'**eau**
200 g de **chocolat noir**
25 g de **chocolat au lait**

Faites fondre le chocolat noir et le lait au bain-marie (voir page 10). Versez le chocolat fondu dans un saladier avec le beurre, le sucre, les noisettes ou les amandes en poudre, la farine, les jaunes d'œufs et l'eau chaude. Fouettez jusqu'à obtention d'une pâte lisse. Montez les blancs d'œufs en neige ferme puis incorporez-les délicatement à la préparation au chocolat.

Huilez et tapissez de papier sulfurisé un moule de 23 cm de diamètre. Versez-y la pâte et lissez la surface. Faites cuire 30 minutes dans un four préchauffé à 180 °C. Recouvrez d'un torchon humide et laissez refroidir.

Pour le sirop, mélangez le sucre avec le cognac et l'eau dans une petite casserole. Faites dissoudre le sucre à feu doux. Faites bouillir 1 minute. Retournez le gâteau sur une grille et arrosez-le de ce sirop.

Faites chauffer la confiture d'abricots puis filtrez-la et badigeonnez-en le gâteau.

Pour le nappage, faites chauffer le sucre et l'eau dans une petite casserole à fond épais. Quand le sucre est dissous, laissez bouillir 1 minute. Retirez la casserole du feu, laissez reposer 1 minute puis incorporez 200 g de chocolat noir et faites-le fondre. Laissez reposer jusqu'à épaississement. Faites fondre le chocolat au lait à part.

Étalez le nappage au chocolat sur le gâteau à l'aide d'une spatule. Versez le chocolat au lait sur le tour pour décorer. Laissez prendre dans un endroit frais.

petits cœurs chocolat-coco

Pour **6 petits cœurs**
Préparation **20 minutes**
  + refroidissement
Cuisson **30 minutes**

75 g de **noix de coco** râpée
175 g de **farine**
  à levure incorporée
1 c. à c. de **levure chimique**
175 g de **sucre en poudre**
3 gros **œufs**
  légèrement battus
175 g de **beurre** fondu
200 g de **chocolat au lait**

Versez les deux tiers de la noix de coco râpée dans un saladier. Ajoutez la farine, la levure, le sucre, les œufs et le beurre fondu. Mélangez jusqu'à obtention d'une pâte lisse.

Huilez et tapissez de papier sulfurisé le fond de 6 petits moules en forme de cœur (environ 5 cm de diamètre). Versez la pâte dans les moules et faites cuire 20 minutes dans un four préchauffé à 180 °C. Vérifiez la cuisson en enfonçant une brochette au centre d'un des gâteaux : elle doit en ressortir sèche. Démoulez et laissez refroidir sur une grille posée sur une plaque de cuisson.

Faites fondre le chocolat au lait au bain-marie (voir page 10). À l'aide d'une spatule, étalez le chocolat fondu sur les gâteaux.

Saupoudrez de noix de coco râpée et laissez prendre avant de servir.

Pour des petits cœurs aux airelles, aux pépites de chocolat et à la noix de coco, huilez et tapissez de papier sulfurisé un grand moule en forme de cœur (18 cm). Ajoutez 75 g d'airelles, 75 g de pépites de chocolat au lait et 2 cuillerées à soupe de jus d'airelles aux autres ingrédients de la pâte (voir étape 1 ci-dessus). Poursuivez en suivant la recette. Pour décorer, parsemez la surface du gâteau d'airelles séchées (25 g), au-dessus du chocolat fondu et de la noix de coco râpée.

cupcakes au chocolat et aux groseilles

Pour **12 cupcakes**
Préparation **20 minutes**
 + refroidissement
Cuisson **15 minutes**

125 g de **beurre**
125 g de **sucre roux**
2 **œufs**
100 g de **farine complète
 à levure incorporée**
1 c. à s. de **cacao en poudre**
2 c. à s. de **lait**

Glaçage
100 g de **groseilles rouges**
 + 12 petites grappes
    pour décorer
300 g de **sucre glace**

Travaillez le beurre et le sucre jusqu'à obtention d'un mélange léger. Incorporez progressivement les œufs, puis la farine et le cacao tamisés, ainsi que le son de blé resté dans le tamis. Versez le lait et remuez.

Garnissez un moule à muffins (12 alvéoles) de caissettes en papier. Répartissez la pâte dans les caissettes et faites cuire 15 minutes dans un four préchauffé à 200 °C. Laissez refroidir sur une grille.

Détachez les groseilles des tiges. Mixez-les dans un robot jusqu'à obtention d'une purée. Ajoutez le sucre glace en deux fois, en mixant jusqu'à obtention d'une pâte bien lisse. Étalez ce glaçage sur les cupcakes et décorez avec une petite grappe de groseille.

Pour des cupcakes au chocolat blanc et aux framboises, remplacez le cacao en poudre par 75 g de pépites de chocolat blanc, et les groseilles par une grosse poignée de framboises. Pour finir, déposez 3 framboises sur chaque petit gâteau.

gâteau d'anniversaire

Pour **12 personnes**
Préparation **20 minutes**
Cuisson **20 à 25 minutes**

125 g de **beurre**
175 g de **sucre en poudre**
175 g de **sucre roux**
2 **œufs**
225 g de **farine complète
à levure incorporée**
50 g de **cacao en poudre**
¼ de c. à c.
de **bicarbonate de soude**
250 ml de **yaourt nature**

Glaçage
300 g de **sucre glace**
tamisé
2 c. à s. de **cacao
en poudre** tamisé
15 g de **beurre** fondu
3 ou 4 c. à s. d'**eau
bouillante**

Pour décorer
150 g de **caraques
au chocolat noir**
ou **au lait** (voir page 13)

Travaillez le beurre et les deux sucres dans un saladier. Ajoutez un œuf à la fois, en fouettant. Ajoutez la farine, le cacao et le bicarbonate de soude tamisés, ainsi que le son de blé resté dans le tamis. Ajoutez le yaourt. Mélangez jusqu'à obtention d'une pâte lisse.

Huilez et tapissez de papier sulfurisé le fond d'un moule rectangulaire de 28 x 18 cm. Versez la pâte dans le moule et faites cuire 20 à 25 minutes dans un four préchauffé à 180 °C. Laissez reposer 5 minutes dans le moule puis démoulez et laissez refroidir complètement sur une grille.

Pour le glaçage, tamisez le sucre glace et le cacao en poudre au-dessus d'un saladier. Versez le beurre fondu et 2 cuillerées à soupe d'eau bouillante. Remuez jusqu'à obtention d'une pâte onctueuse. Si la consistance est trop ferme, incorporez un tout petit peu d'eau bouillante (une goutte à la fois). À l'aide d'une palette trempée dans de l'eau chaude, étalez ce glaçage sur le gâteau. Entourez le gâteau d'un ruban et faites un nœud. Décorez avec des caraques en chocolat et des bougies d'anniversaire.

Pour personnaliser la décoration, supprimez les caraques. Faites fondre 75 g de chocolat au lait et 75 g de chocolat noir au bain-marie (voir page 10), séparément. Versez le chocolat fondu dans une poche à douille et décorez le gâteau à votre façon : cœurs, torsades, fleurs, lettres, etc. Vous pouvez aussi utiliser du chocolat blanc pour accentuer les contrastes.

gâteau aux amandes simplissime

Pour **16 personnes**
Préparation **20 minutes**
  + refroidissement
Cuisson **1 h 15**

200 g de **chocolat noir**
5 gros **œufs**
125 g de **sucre**
100 g de **poudre
  d'amandes**
1 c. à s. de **liqueur de café**
cacao en poudre
200 g de **framboises**
  fraîches

Faites fondre le chocolat au bain-marie (voir page 10).

Prenez 4 œufs. Séparez les blancs des jaunes. Dans un saladier, fouettez ensemble l'œuf entier, les jaunes d'œufs et le sucre jusqu'à ce que le mélange épaississe.

Incorporez progressivement le chocolat fondu, en fouettant, puis la poudre d'amandes. Nettoyez le fouet et montez les blancs d'œufs en neige souple. Incorporez un quart des blancs battus dans la préparation au chocolat pour la fluidifier. Ajoutez ensuite les blancs restants.

Huilez et tapissez de papier sulfurisé un moule à cake rond (12 cm de diamètre et 8 cm de haut), en faisant déborder le papier. Versez la pâte dans le moule et faites cuire 1 heure à 1 h 15 dans un four préchauffé à 160 °C. Vérifiez la cuisson en enfonçant une aiguille au centre du gâteau : elle doit en ressortir sèche.

Faites quelques entailles dans le gâteau encore chaud et arrosez-le de liqueur de café. Laissez reposer dans le moule 30 minutes. Démoulez le gâteau sur un plat, saupoudrez-le de cacao en poudre, déposez quelques framboises sur le dessus et enrubannez-le.

Pour un gâteau aux noix de macadamia, ajoutez 50 g de noix de macadamia hachées à la poudre d'amandes. Faites cuire comme indiqué ci-dessus, dans un moule à pain d'une contenance de 1 kg tapissé de papier sulfurisé. Remplacez la liqueur de café par 1 cuillerée à soupe de xérès et servez.

sachertorte

Pour **16 personnes**
Préparation **50 minutes**
 + refroidissement
Cuisson **1 h 15**

225 g de **chocolat noir**
175 g de **beurre**
175 g de **sucre en poudre**
5 **œufs** légèrement battus
125 g de **farine complète
 à levure incorporée,**
 tamisée
3 c. à s. de **cacao
 en poudre**
4 c. à s. de **rhum**
8 **boutons en chocolat**
 pour décorer

Ganache
175 g de **chocolat noir**
75 g de **beurre**
4 c. à s. de **crème fraîche**
 réchauffée

Faites fondre le chocolat au bain-marie (voir page 10).

Travaillez le beurre et le sucre jusqu'à obtention d'un mélange blanc et mousseux. Incorporez progressivement les œufs, ainsi qu'un peu de farine et de cacao tamisés. Ajoutez ensuite le reste de farine et de cacao. Ajoutez le chocolat fondu et 2 cuillerées à soupe de rhum. Mélangez.

Huilez et tapissez de papier sulfurisé un moule à bord amovible de 20 cm de diamètre. Versez la pâte dans le moule et faites cuire 30 minutes dans un four préchauffé à 190 °C. Recouvrez de papier d'aluminium et poursuivez la cuisson 15 minutes. Vérifiez la cuisson en enfonçant une brochette au centre du gâteau : elle doit en ressortir sèche.

Laissez reposer 30 minutes dans le moule. Démoulez et laissez refroidir complètement sur une grille posée sur une plaque de cuisson. Arrosez avec le reste de rhum.

Faites fondre le chocolat pour la ganache. Incorporez le beurre et la crème fraîche puis nappez le gâteau avec ce mélange. Lissez à l'aide d'une spatule. Décorez avec les boutons en chocolat.

Pour une variante aux amandes, ajoutez 125 g de pâte d'amandes surgelée et râpée dans le mélange beurre-sucre-œufs, en même temps que la farine et le cacao en poudre. Remplacez le rhum par 4 cuillerées à soupe d'Amaretto di Sarrono et poursuivez en suivant la recette ci-dessus.

œufs surprises

Pour **2 œufs**
Préparation **20 minutes**
 + séchage et réfrigération
Cuisson **10 minutes**

2 **gros œufs**
100 g de **chocolat blanc**
100 g de **chocolat au lait**
2 c. à c. de **confiture de lait**
 (ou « dulce de leche)

Percez un trou dans l'extrémité pointue de chaque œuf à l'aide d'une pointe de couteau. Détachez des petits bouts de coquille jusqu'à ce que le trou fasse 1 cm de diamètre. Versez le contenu des coquilles dans un saladier (vous utiliserez ces œufs ultérieurement). Rincez les coquilles sous l'eau froide, retournez-les et laissez-les sécher 20 minutes ou séchez-les avec un sèche-cheveux (température moyenne).

Faites fondre le chocolat blanc et le chocolat au lait au bain-marie (voir page 10). Posez les coquilles vides dans des coquetiers de manière que le trou soit au-dessus. Versez soigneusement un quart du chocolat fondu dans chaque coquille à l'aide d'une poche à douille. Placez 30 minutes au réfrigérateur.

Répartissez la confiture de lait dans les coquilles à l'aide d'une poche à douille. Remplissez les coquilles avec le reste de chocolat fondu et placez-les au réfrigérateur 2 heures jusqu'à ce que le chocolat soit pris.

Tapotez délicatement les œufs pour craquer la coquille. Écalez-les en essayant de les manipuler le moins possible. Présentez les œufs en chocolat dans des coquetiers. Pour déguster votre œuf, passez la lame d'un couteau sous l'eau chaude, séchez-la puis coupez des tranches.

gâteau de Pâques

Pour **12 personnes**
Préparation **50 minutes**
 + refroidissement
 et réfrigération
Cuisson **25 à 30 minutes**

75 g de **farine**
 à levure incorporée
½ c. à c. de **levure**
 chimique
40 g de **cacao en poudre**
125 g de **beurre**
125 g de **sucre en poudre**
2 **œufs**
4 c. à s. de **liqueur**
 d'orange ou de **jus**
 d'orange
75 g de **chocolat noir**

Garniture
2 c. à c. de **gélatine**
 en poudre
2 c. à s. d'**eau froide**
3 **jaunes d'œufs**
50 g de **sucre**
1 c. à c. de **fécule de maïs**
300 ml de **lait**
200 g de **chocolat noir**
 cassé en morceaux
300 ml de **crème fleurette**

Pour décorer
copeaux de chocolat noir
quelques **petits œufs**
 en chocolat

Mélangez la farine, la levure, le cacao, le beurre, le sucre et les œufs. Versez cette pâte dans un moule à bord amovible de 23 cm de diamètre huilé et tapissé de papier sulfurisé. Faites cuire 20 à 25 minutes dans un four préchauffé à 180 °C. Démoulez et laissez refroidir sur une grille. Posez le gâteau sur un plat de service et arrosez-le de liqueur d'orange.

Découpez une bande de papier sulfurisé de 6 cm de large et 1 cm plus longue que la circonférence du gâteau. Faites fondre le chocolat puis étalez-le sur la bande de papier, le long du bord sur un côté et, de l'autre côté, à 1,5 cm du bord, en une ligne ondulante. Laissez 1 cm de papier libre à une des deux extrémités. Laissez reposer 15 minutes puis soulevez la bande et enroulez-la autour du gâteau (côté rectiligne en bas). Placez-le au réfrigérateur.

Pour la garniture, faites tremper la gélatine dans l'eau froide. Fouettez les jaunes d'œufs, le sucre, la fécule de maïs et un peu de lait. Portez le reste de lait à ébullition. Incorporez le mélange précédent au lait bouillant puis remettez sur le feu et faites épaissir à feu doux. Incorporez la gélatine hors du feu. Quand elle est dissoute, ajoutez le chocolat. Lissez le mélange puis laissez refroidir. Fouettez la crème fleurette puis incorporez-la au mélange. Étalez cette préparation sur le dessus du gâteau. Placez au réfrigérateur. Au bout de 1 ou 2 heures, ôtez la bande de papier sulfurisé. Décorez le gâteau de copeaux de chocolat et déposez au milieu du « nid » des œufs en chocolat.

bûche de Noël

Pour **10 personnes**
Préparation **40 minutes**
  + refroidissement
Cuisson **20 minutes**

3 **œufs**
75 g de **sucre en poudre**
  + quelques pincées
50 g de **farine** ordinaire
  tamisée
25 g de **cacao en poudre**
  tamisé

Garniture
150 ml de **crème fraîche**
150 g de **purée
  de châtaignes** en boîte

Ganache au chocolat
150 ml de **crème fraîche**
200 g de **chocolat noir**
  cassé en petits morceaux

Pour décorer
copeaux de chocolat
sucre glace

Fouettez les œufs et le sucre dans un saladier au bain-marie jusqu'à épaississement. Incorporez la farine et le cacao.

Huilez et tapissez de papier sulfurisé un moule à roulé de 33 x 23 cm. Étalez la pâte dans le moule et faites cuire environ 15 minutes dans un four préchauffé à 180 °C. Le gâteau doit être juste ferme. Saupoudrez de sucre un grand morceau de papier sulfurisé. Retournez le moule sur le papier sucré. Ôtez le papier du dessus puis enroulez le gâteau sur lui-même, dans le papier sucré, et laissez-le refroidir.

Préparez la garniture. Fouettez la crème fraîche puis incorporez-y la purée de châtaignes. Déroulez le gâteau et nappez-le de crème à la châtaigne. Enroulez de nouveau, sans le papier.

Pour la ganache, portez à frémissement la crème fraîche dans une petite casserole. Hors du feu, ajoutez le chocolat. Quand le chocolat est fondu, remuez jusqu'à obtention d'un mélange onctueux. Laissez refroidir.

Posez le roulé sur un plat de service (jointure en dessous). Fouettez la ganache pour l'épaissir légèrement puis étalez-la sur le roulé, à l'exception des deux extrémités. Parsemez de copeaux de chocolat. Saupoudrez de sucre glace et servez.

suprême de Noël

Pour **20 personnes**
Préparation **1 heure**
  + trempage des fruits
  et refroidissement
Cuisson **1 h 45**

250 g de **fruits secs**
  de votre choix
200 ml de **xérès**
250 g de **beurre**
225 g de **mélasse**
3 **œufs**
200 g de **farine complète**
  à levure incorporée
50 g de **cacao en poudre**
2 c. à s. d'**épices mélangées**
  (cannelle, poivre de la
  Jamaïque, clou de girofle,
  coriandre, macis et noix
  de muscade)
4 morceaux de **gingembre**
  confit, hachés
100 g de **chocolat**
  blanc haché

Pour décorer
150 g de **beurre**
150 g de **sucre glace**
150 g de **fromage frais**
1 c. à s. de **cognac**
125 g d'**airelles** séchées

Versez les fruits secs et le xérès dans un bocal stérilisé (voir page 11). Refermez et laissez macérer au moins 1 heure et jusqu'à 1 semaine.

Travaillez le beurre et le sucre. Ajoutez un œuf à la fois, puis la farine et le cacao tamisés, les épices et le gingembre.

Hachez la moitié des fruits macérés dans un robot jusqu'à obtention d'une purée. Incorporez cette purée dans la pâte, ajoutez le reste des fruits secs et le xérès. Ajoutez le chocolat blanc et remuez.

Huilez et tapissez de papier sulfurisé un moule de 15 cm de diamètre. Versez la pâte dans le moule et faites cuire 1 h 30 dans un four préchauffé à 180 °C. Vérifiez la cuisson en enfonçant une brochette au centre du gâteau : elle doit en ressortir sèche. Laissez refroidir dans le moule. Démoulez le gâteau sur une assiette ou sur une planche et ôtez le papier sulfurisé.

Mixez le beurre, le sucre glace, le fromage frais et le cognac dans un robot. Étalez ce mélange sur le dessus du gâteau. Décorez le gâteau avec les airelles séchées et enrubannez-le.

au goûter

pâte à tartiner chocolat-noisettes

Pour **500 g de pâte
à tartiner**
Préparation **10 minutes**
+ refroidissement
Cuisson **5 minutes**

375 g de **chocolat au lait**
125 g de **noisettes**
2 c. à s. d'**huile végétale**
2 c. à s. de **sucre
en poudre**
1 c. à s. de **cacao
en poudre**
½ c. à c. d'**extrait
de vanille**

Stérilisez un bocal en verre d'une contenance de 400 g
(voir page 11). Faites fondre le chocolat au bain-marie
(voir page 10).

Réduisez les noisettes en pâte dans un robot. Ajoutez
l'huile, le sucre, le cacao et l'extrait de vanille. Mixez
de nouveau.

Versez le chocolat fondu dans le robot et mixez jusqu'à
obtention d'une crème très lisse et onctueuse. Versez
la pâte encore chaude dans le bocal stérilisé. Laissez
refroidir et épaissir légèrement. Cette pâte à tartiner peut
se conserver jusqu'à 1 mois à température ambiante,
dans un bocal fermé.

Pour une pâte à tartiner au chocolat blanc, suivez
la recette ci-dessus, mais remplacez les noisettes
par 125 g de chocolat blanc haché.

shortbread chocolat-caramel

Pour **20 parts**
Préparation **25 minutes**
  + refroidissement et prise
Cuisson **40 minutes**

200 g de **farine** ordinaire
50 g de **cacao en poudre**
75 g de **sucre en poudre**
175 g de **beurre**
200 g de **chocolat blanc**

Pour le caramel
750 g de **lait concentré**
100 g de **sucre roux**
100 g de **beurre**

Mélangez la farine, le cacao, le sucre et le beurre dans un robot. Quand le mélange devient sableux, malaxez encore quelques instants jusqu'à ce que la pâte forme une boule. Déposez le pâton sur un plan de travail fariné et pétrissez-le jusqu'à obtention d'une pâte bien lisse et homogène.

Huilez et tapissez de papier sulfurisé un moule à roulé de 30 x 20 cm. Pressez la pâte dans le moule et faites cuire 20 minutes dans un four préchauffé à 180 °C jusqu'à ce que le biscuit soit ferme au toucher.

Pour le caramel, faites chauffer le lait concentré dans une casserole antiadhésive avec le sucre et le beurre 15 minutes environ. Remuez constamment. Quand le mélange devient épais et onctueux, étalez-le sur le biscuit. Lissez la surface et laissez refroidir.

Faites fondre le chocolat blanc au bain-marie (voir page 10) puis versez-le sur le caramel. Laissez prendre à température ambiante puis coupez le gâteau en 20 parts carrées.

Pour un shortbread au chocolat, préparez le biscuit comme indiqué ci-dessus avec les ingrédients suivants : 125 g de farine ordinaire, 75 g de crème de riz, 50 g de cacao en poudre, 75 g de sucre roux et 175 g de beurre. Pressez cette pâte dans un moule rond de 20 cm de diamètre. Tracez 8 triangles, striez le tour avec les dents d'une fourchette et faites cuire 20 minutes à 180 °C. Saupoudrez de sucre au moment de servir.

crêpes au chocolat

Pour **4 personnes**
Préparation **5 minutes**
Cuisson **10 minutes**

100 g de **farine** ordinaire,
   tamisée
1 c. à s. de **cacao
   en poudre**
1 **œuf**
300 ml de **lait**
huile de tournesol
1 **barre de chocolat**
   de votre choix, cassée
   en petits morceaux
75 g de **beurre**
75 g de **sucre en poudre**
le **zeste** finement râpé
   de 1 **orange**
4 c. à s. de **jus d'orange**

Mixez la farine, le cacao en poudre, l'œuf et le lait jusqu'à obtention d'une pâte lisse. Versez cette pâte à crêpes dans un saladier. Faites chauffer un peu d'huile de tournesol dans une poêle antiadhésive de 23 cm de diamètre. Versez 100 ml de pâte en inclinant la poêle pour en napper le fond.

Faites cuire 1 à 2 minutes jusqu'à ce que le dessous commence à dorer. Tournez la crêpe et faites-la cuire de l'autre côté. Faites glisser la crêpe sur une assiette et préparez trois autres crêpes. Intercalez des morceaux de papier sulfurisé entre les crêpes.

Déposez quelques morceaux de chocolat au centre de chaque crêpe. Repliez les bords de manière à former un rectangle. Retirez le papier sulfurisé.

Faites chauffer le beurre et le sucre dans la poêle. Quand le sucre est dissous, ajoutez le zeste et le jus d'orange. Déposez les crêpes dans la poêle. Réchauffez 3 minutes puis servez les crêpes arrosées de sauce à l'orange.

Pour une variante au caramel, préparez les crêpes comme indiqué ci-dessus mais remplacez les morceaux de chocolat par 1 cuillerée de glace au caramel. À la place de la sauce à l'orange, faites chauffer 2 grosses barres chocolatées au caramel coupées en petits morceaux, à feu doux, dans une casserole à fond épais. Remuez soigneusement. Versez cette sauce sur les crêpes puis servez aussitôt.

muffins au chocolat

Pour **12 muffins**
Préparation **15 minutes**
Cuisson **25 minutes**

375 g de **farine à levure
    incorporée**
25 g de **cacao en poudre**
200 g de **sucre en poudre**
2 gros **œufs**
150 ml d'**huile de tournesol**
150 ml de **lait**
1 c. à c. d'**extrait de vanille**
12 c. à c. de **chocolat
    à tartiner** prêt à l'emploi
    ou de pâte à tartiner
    chocolat-noisettes
    (voir page 128)

Tamisez la farine et le cacao en poudre au-dessus d'un saladier. Ajoutez le sucre et mélangez.

Dans un saladier, mélangez les œufs, l'huile, le lait et la vanille, à l'aide d'une fourchette. Versez ce mélange dans le saladier contenant la farine et le cacao et remuez.

Garnissez un moule à muffins de 12 alvéoles de caissettes en papier. Versez la pâte en remplissant les caissettes à moitié. Déposez 1 cuillerée à café de pâte à tartiner dans chaque caissette. Répartissez le reste de pâte.

Faites cuire 25 minutes dans un four préchauffé à 190 °C jusqu'à ce que les petits muffins soient bien gonflés et moelleux au toucher.

Pour des muffins chocolat-orange, remplacez le cacao en poudre par 25 g de fécule de maïs. Supprimez l'extrait de vanille et ajoutez le zeste finement râpé de 1 orange et 1 cuillerée à soupe de jus de raisin. Suivez ensuite les indications ci-dessus. Quand les muffins sont cuits, badigeonnez le dessus de beurre fondu et parsemez-les de sucre en poudre.

petits anneaux aux Rice Krispies

Pour **10 anneaux**
Préparation **10 minutes**
Cuisson **5 minutes**

150 g de **caramels mous**
2 c. à s. de **cacao
en poudre**
50 g de **beurre**
200 g de **Marshmallows**
175 g de **céréales
Rice Krispies**

Mettez les caramels dans un grand récipient avec le cacao et le beurre. Faites chauffer 3 minutes au micro-ondes à puissance forte (900 watts). Sortez délicatement le récipient du four (mettez des gants pour ne pas vous brûler). Vous pouvez aussi faire fondre les ingrédients dans une casserole, à feu doux. Remuez avec une cuillère en bois. Ajoutez les Marshmallows, sans remuer.

Glissez à nouveau le plat dans le micro-ondes (900 watts) ou remettez la casserole sur le feu pendant 1 minute. Remuez vivement. Ajoutez un tiers des céréales et mélangez. Ajoutez le reste des céréales, en deux fois, en remuant bien.

Huilez un moule en couronne de 10 cm de diamètre. Prélevez une poignée de pâte et pressez-la dans le moule pour former un anneau. Retournez le moule et démoulez. Placez l'anneau sur une feuille de papier sulfurisé. Façonnez ensuite les autres anneaux. Pour décorer, fixez des petits nœuds blancs dans la pâte si vous le souhaitez. Laissez prendre avant de servir.

Pour réaliser des barres au chocolat blanc, supprimez le cacao en poudre et mélangez ensemble les autres ingrédients (voir ci-dessus). Étalez la préparation dans un moule rectangulaire de 17 x 28 cm. Faites fondre 100 g de chocolat blanc (voir page 10) et versez-le sur la pâte. Laissez prendre, coupez des parts rectangulaires et servez.

couronne banane-chocolat

Pour **12 personnes**
Préparation **20 minutes**
  + refroidissement
Cuisson **1 heure**

200 g de **chocolat noir**
175 g de **beurre** coupé
  en cubes
250 g de **farine à levure
  incorporée** tamisée
1 c. à c. de **levure chimique**
150 g de **sucre roux**
le **zeste** finement râpé
  de 1 **citron**
3 **œufs**
150 g de **chocolat blanc**
  cassé en morceaux
  + 200 g pour décorer
3 petites **bananes** écrasées
125 g de **pépites
  de chocolat blanc**

Faites fondre le chocolat noir et 25 g de beurre au bain-marie (voir page 10).

Dans un robot, travaillez le reste de beurre avec la farine et la levure jusqu'à obtention d'un mélange granuleux. Ajoutez le sucre, le zeste de citron, les œufs, 150 g de chocolat blanc et les bananes. Mélangez.

Huilez et tapissez de papier sulfurisé un moule en couronne d'une contenance de 1,8 litre. Versez un quart de la pâte dans le moule. Versez par-dessus un tiers du chocolat fondu. Continuez d'alterner les couches, en terminant par une couche de pâte.

Faites cuire 50 à 60 minutes dans un four préchauffé à 180 °C. Laissez reposer 10 minutes dans le moule puis démoulez le gâteau. Laissez-le refroidir sur une grille.

Faites fondre 200 g de chocolat blanc au bain-marie et versez-le sur la couronne. Décorez avec des pépites de chocolat blanc.

Pour une couronne aux noix de pécan, remplacez les 150 g de chocolat blanc par 150 g de chocolat au lait, et le zeste de citron par 50 g de noix de pécan finement hachées. Remplacez également le chocolat fondu du décor par une ganache. Portez 150 ml de crème fraîche à ébullition. Hors du feu, ajoutez 200 g de chocolat noir cassé en morceaux. Remuez pour le faire fondre. Étalez la ganache sur la couronne et décorez avec des moitiés de noix de pécan.

petits muffins chocolat-coco

Pour **24 muffins**
Préparation **15 minutes**
Cuisson **8 minutes**

150 g de **farine à levure
incorporée**
½ c. à c. de **bicarbonate
de soude**
75 g de **sucre en poudre**
50 g de **noix de coco** râpée
50 g de **pépites de chocolat
blanc**
150 ml de **yaourt
à la vanille**
1 **œuf**
4 c. à s. d'**huile
de tournesol**

Pour décorer
3 c. à s. de **confiture
de fraises**
3 c. à s. de **noix de coco**
râpée

Tamisez la farine et le bicarbonate de soude au-dessus d'un saladier. Ajoutez le sucre, la noix de coco et les pépites de chocolat.

Mélangez ensemble le yaourt, l'œuf et l'huile de tournesol à l'aide d'une fourchette. Ajoutez le contenu du saladier précédent puis mélangez.

Garnissez un moule à muffins de 24 petites alvéoles de caissettes en papier. Versez la pâte dans les caissettes et faites cuire 6 à 8 minutes dans un four préchauffé à 190 °C jusqu'à ce que les muffins soient bien gonflés et fermes au toucher.

Dès la sortie du four, badigeonnez les petits muffins de confiture de fraises et parsemez-les de noix de coco râpée.

Pour un décor différent, nappez les petits muffins refroidis de chocolat blanc fondu (100 g). Remplacez la noix de coco râpée par 3 cuillerées à soupe de pépites de chocolat blanc.

petits cakes chocolat-cerise

Pour **12 cakes**
Préparation **15 minutes**
  + refroidissement
Cuisson **25 minutes**

175 g de **beurre**
150 g de **poudre d'amandes**
150 g de **sucre en poudre**
40 g de **farine** ordinaire
4 **blancs d'œufs**
100 g de **chocolat noir**
  grossièrement haché
425 g de **cerises au sirop**,
  dénoyautées et
  parfaitement égouttées
sucre glace pour décorer

Faites fondre le beurre et laissez-le refroidir légèrement.

Mélangez ensemble la poudre d'amandes, le sucre et la farine. Ajoutez les blancs d'œufs, le beurre fondu et le chocolat puis mélangez.

Beurrez légèrement un moule à muffins de 12 alvéoles. Répartissez la pâte dans les alvéoles et disposez 3 cerises sur le dessus de chaque cake.

Faites cuire environ 20 minutes dans un four préchauffé à 200 °C jusqu'à ce que les petits gâteaux soient gonflés, dorés, et fermes au toucher. Laissez reposer 10 minutes puis démoulez sur une grille et laissez refroidir.

Saupoudrez légèrement de sucre glace et servez.

Pour une variante aux poires et aux noix, remplacez la poudre d'amandes par 150 g de noix finement hachées. Coupez 425 g de poires au sirop en lamelles que vous disposerez sur les cakes à la place des cerises. Faites cuire comme indiqué ci-dessus.

gâteau d'anniversaire glacé

Pour **12 personnes**
Préparation **20 minutes**
  + congélation

1,5 l de **glace Chocolate
  Fudge Brownie**
  (Ben & Jerry's)
500 ml de **glace
  Strawberry Cheesecake**
  (Häagen-Dazs)
**copeaux de chocolat
  au lait** (voir page 12)

Sortez la glace du congélateur pour qu'elle ramollisse légèrement. Déposez un disque de papier sulfurisé dans le fond d'un moule à bord amovible de 23 cm de diamètre. Versez les deux tiers de la glace au chocolat dans le moule. Lissez la surface à l'aide d'une spatule.

Versez la glace à la fraise dans le moule et finissez avec une couche de glace au chocolat. Replacez au congélateur.

Sortez le moule du congélateur juste avant que la fête commence et démoulez le gâteau sur un plat de service. Parsemez de copeaux de chocolat puis replacez au congélateur jusqu'au moment de servir.

Pour une variante « napolitaine », versez dans un moule 500 ml de glace vanille, 500 ml de glace au yaourt parfumée à la fraise et 500 ml de glace Chocolate Fudge Brownie (500 ml). Décorez avec des copeaux de chocolat et 12 fraises entières. Replacez au congélateur, comme indiqué ci-dessus.

cookies chocolat-fruits rouges

Pour **8 cookies**
Préparation **15 minutes**
  + réfrigération
Cuisson **15 minutes**

125 g de **beurre**
125 g de **sucre roux**
2 **œufs** légèrement battus
2 c. à c. d'**extrait de vanille**
225 g de **farine complète**
  à levure incorporée
25 g de **cacao en poudre**
75 g d'**airelles séchées**
100 g de **chocolat au lait**
  haché grossièrement
8 **cerneaux de noix** ou
  8 moitiés de noix de pécan

Dans un saladier, fouettez ensemble le beurre et
le sucre avec une cuillère en bois jusqu'à obtention
d'un mélange léger. Incorporez un œuf à la fois
et l'extrait de vanille.

Ajoutez la farine et le cacao tamisés, les airelles et
le chocolat au lait. Pétrissez la pâte avec les mains.
Emballez le pâton dans du film alimentaire et placez-le
au réfrigérateur au moins 30 minutes.

Garnissez 2 plaques de cuisson de papier sulfurisé.
Façonnez 8 boulettes de pâte que vous disposerez
sur les plaques, bien espacées les unes des autres.
Aplatissez chaque boulette avec le plat de la main
et décorez avec une noix ou une noix de pécan.

Faites cuire 15 minutes dans un four préchauffé à
180 °C. Laissez reposer 5 minutes sur les plaques
pour que les cookies durcissent légèrement puis
servez-les tant qu'ils sont encore tièdes. Vous pouvez
aussi les laisser refroidir complètement sur une grille
et les conserver dans un récipient hermétique.

**Pour des cookies à la vanille, aux myrtilles et aux
pépites de chocolat,** fouettez ensemble le beurre,
le sucre, les œufs et l'extrait de vanille comme indiqué
ci-dessus. Ajoutez ensuite 275 g de farine complète à
levure incorporée, tamisée, et 75 g de myrtilles séchées.
Pétrissez et placez au réfrigérateur avant de façonner
des boulettes de pâte. Faites cuire comme ci-dessus,
sans ajouter de noix ni de noix de pécan.

barres de céréales au chocolat

Pour **12 barres**
Préparation **10 minutes**
  + réfrigération
Cuisson **3 minutes**

200 g de **chocolat au lait**
  cassé en morceaux
2 c. à s. de **golden syrup**
50 g de **beurre**
125 g de **flocons
  de céréales**

Faites fondre le chocolat, le golden syrup et le beurre au bain-marie (voir page 10).

Ajoutez les céréales et remuez soigneusement.

Huilez un moule rectangulaire de 28 x 18 cm. Versez la pâte dans le moule puis faites prendre au réfrigérateur. Coupez 12 parts.

Pour des bouchées croustillantes au muesli et à l'abricot, remplacez les flocons de céréales par 125 g de muesli et 50 g d'abricots secs. Ajoutez ces deux ingrédients au chocolat fondu (étape 1) puis versez la pâte dans 12 caissettes en papier. Faites prendre au réfrigérateur.

petites meringues au chocolat

Pour **6 meringues**
Préparation **15 minutes**
Cuisson **1 h 15**

3 **blancs d'œufs**
75 g de **sucre en poudre**
75 g de **sucre roux**
75 g de **chocolat au lait**
   râpé

Montez les blancs d'œufs en neige ferme, dans un saladier parfaitement propre. Incorporez le sucre en poudre (1 cuillerée à soupe à la fois) puis le sucre roux (1 cuillerée à soupe à la fois), en fouettant constamment. Ajoutez le chocolat râpé.

Garnissez 2 plaques de cuisson de papier sulfurisé. Déposez des cuillerées à café de pâte sur les plaques.

Faites cuire 1 h 15 dans un four préchauffé à 140 °C. Laissez reposer encore 30 minutes dans le four éteint. Servez ces petites meringues avec des fraises et une fondue aux trois chocolats (voir page 234).

Pour des petits vacherins au chocolat, préparez les meringues comme ci-dessus, mais remplacez le sucre roux par du sucre en poudre, et le chocolat au lait par 75 g de chocolat blanc râpé. Déposez des cuillerées de pâte sur les plaques de cuisson et aplatissez-les légèrement. Faites cuire comme indiqué ci-dessus. Collez les meringues deux par deux avec 1 cuillerée à café de confiture de fraises, et servez-les avec du yaourt grec égoutté et des lamelles de pêche fraîche.

tourbillon de glace

Pour **8 personnes**
Préparation **20 minutes**
  + refroidissement
  et congélation
Cuisson **5 minutes**

225 g de **framboises**
175 g de **sucre en poudre**
150 ml d'**eau**
200 g de **chocolat noir**
600 ml de **crème fraîche**

Pressez les framboises à travers une passoire pour les réduire en purée. Faites chauffer le sucre et l'eau dans une casserole. Quand le sucre est dissous, portez à ébullition et laissez bouillir 2 minutes pour obtenir un sirop. Laissez refroidir.

Faites fondre le chocolat au bain-marie avec 150 ml de crème fraîche (voir page 10). Remuez jusqu'à obtention d'un mélange lisse puis laissez refroidir légèrement. Fouettez le reste de crème fraîche avec le sirop refroidi.

Divisez la préparation crème-sirop en deux. Versez la purée de framboises dans un des saladiers. Versez le chocolat fondu dans l'autre saladier et mélangez légèrement jusqu'à obtention d'un effet marbré.

Versez les deux préparations (au chocolat et aux framboises) dans un récipient. À l'aide d'une grande cuillère en métal, remuez légèrement. Placez au congélateur jusqu'au lendemain.

Déplacez le récipient dans le réfrigérateur environ 30 minutes avant de servir. Faites des boules puis servez.

Pour une glace au yaourt et aux fraises, mixez 225 g de fraises dans un robot jusqu'à obtention d'une purée fine. Faites fondre le chocolat au bain-marie avec 150 ml de crème fraîche, puis ajoutez 300 ml de yaourt grec égoutté. Versez la purée de fraises et le mélange chocolat-yaourt dans un récipient. Mélangez légèrement puis placez au congélateur.

brownies chocolat-noix

Pour **15 brownies**
Préparation **10 minutes**
  + refroidissement
Cuisson **30 minutes**

75 g de **chocolat noir**
100 g de **beurre**
200 g de **sucre roux**
2 **œufs** battus
quelques gouttes d'**extrait de vanille**
50 g de **poudre d'amandes**
25 g de **farine de maïs**
  ou de **polenta**
150 g de **fruits à coque**
  mélangés (noix, noisettes…), grillés et hachés grossièrement
glace (facultatif)

Faites fondre le chocolat et le beurre au bain-marie (voir page 10).

Incorporez les autres ingrédients et mélangez.

Huilez et tapissez de papier sulfurisé un moule rectangulaire de 28 x 18 cm. Versez la pâte dans le moule et faites cuire 30 minutes dans un four préchauffé à 180 °C. Le centre doit rester moelleux.

Sortez le gâteau du four et laissez-le reposer 10 minutes dans le moule. Découpez ensuite 15 parts carrées. Servez ces brownies avec de la glace si vous le souhaitez.

Pour réaliser une sauce anglaise au café que vous pourrez servir en accompagnement, versez dans une casserole 300 ml de lait, 300 ml de crème fraîche et 25 g de café soluble. Portez à ébullition. Dans un saladier, fouettez 4 jaunes d'œufs et 75 g de sucre jusqu'à obtention d'un mélange épais et crémeux. Versez progressivement le lait chaud sur les œufs, tout en fouettant. Reversez le mélange dans la casserole et faites épaissir à feu doux, sans cesser de remuer, jusqu'à ce que la crème nappe le dos d'une cuillère. Filtrez la préparation et servez-la chaude ou refroidie.

mignardises

truffes à la liqueur

Pour **12 truffes**
Préparation **50 minutes**
 + réfrigération
Cuisson **2 minutes**

200 g de **chocolat noir**
150 ml de **crème fraîche**
25 g de **beurre**
1 c. à s. de liqueur type
 Baileys
1 c. à s. de **liqueur de café**
12 **grains de café enrobés
 de chocolat**
300 g de **chocolat au lait**

Faites fondre le chocolat noir au bain-marie (voir page 10). Faites chauffer la crème fraîche. Quand elle est sur le point de bouillir, retirez la casserole du feu. Incorporez le beurre au chocolat fondu. Remuez puis ajoutez la crème fraîche.

Répartissez cette préparation dans 2 récipients rectangulaires munis d'un couvercle. Versez le Baileys dans un des récipients, et la liqueur de café dans l'autre. Remuez soigneusement les deux préparations. Faites prendre au moins 2 heures au réfrigérateur.

À l'aide d'une cuillère parisienne ou de 2 petites cuillères, façonnez 12 truffes en tout. Posez-les sur une feuille de papier sulfurisé.

Faites fondre le chocolat au lait au bain-marie. Remuez soigneusement. Piquez une truffe sur les dents d'une fourchette et maintenez-la au-dessus du chocolat fondu. À l'aide d'une cuillère, nappez-la de chocolat. Procédez ainsi avec les autres truffes. Posez les truffes enrobées de chocolat sur une plaque recouverte de papier sulfurisé. Décorez chaque truffe avec un grain de café enrobé de chocolat.

Laissez reposer au moins 1 heure jusqu'à ce que le nappage ait pris. Posez les truffes dans des caissettes en papier et, si c'est pour offrir, rangez-les dans une petite boîte.

truffes double chocolat

Pour **24 truffes**
Préparation **45 minutes**
  + réfrigération
Cuisson **8 minutes**

250 ml de **crème fraîche**
200 g de **chocolat noir**
  + 200 g pour l'enrobage
3 ou 4 c. à s. de **cognac**
  ou de **rhum**
2 c. à s. de **cacao**
  en poudre tamisé
violettes cristallisées

Portez à ébullition la crème fraîche dans une petite casserole puis retirez la casserole du feu et ajoutez 200 g de chocolat noir cassé en petits morceaux. Laissez fondre le chocolat. Ajoutez le cognac ou le rhum et remuez. Faites prendre 4 heures au réfrigérateur.

Déposez une feuille de papier sulfurisé sur une plaque de cuisson et saupoudrez-la de cacao en poudre. À l'aide de 2 cuillères à café ou d'une cuillère parisienne, façonnez des boulettes de pâte un peu allongées, en forme d'œuf. Déposez les truffes sur la feuille saupoudrée de cacao. Placez au réfrigérateur 2 heures au moins, ou jusqu'au lendemain.

Faites fondre 200 g de chocolat noir au bain-marie (voir page 10). Remuez soigneusement. Piquez une truffe sur les dents d'une fourchette et maintenez-la au-dessus du chocolat fondu. Avec une cuillère, nappez-la de chocolat. Procédez ainsi avec les autres truffes. Posez les truffes enrobées de chocolat sur du papier sulfurisé. Versez un filet de chocolat fondu sur les truffes et finissez avec une petite violette.

Placez au moins 1 heure au réfrigérateur. Posez les truffes dans des caissettes en papier que vous rangerez dans une boîte tapissée de papier de soie.

Pour des truffes à la menthe, remplacez le cognac ou le rhum par 3 ou 4 cuillerées à soupe de liqueur de menthe. Enrobez les truffes comme indiqué ci-dessus, mais remplacez le chocolat noir par du chocolat au lait.

caramels biscuités vanille-chocolat

Pour **36 caramels**
Préparation **10 minutes**
  + refroidissement
  et réfrigération
Cuisson **15 minutes**

125 g de **beurre**
200 ml de **lait concentré**
450 g de **sucre en poudre**
50 ml d'**eau**
2 c. à c. d'**extrait de vanille**
75 g de **chocolat noir**
  haché
1 c. à c. d'**huile végétale**
8 **biscuits Oreo**,
  cassés en petits morceaux

Faites chauffer le beurre, le lait concentré, le sucre, l'extrait de vanille et l'eau à feu doux, dans une casserole à fond épais. Remuez jusqu'à ce que le sucre soit dissous puis portez à ébullition.

Maintenez l'ébullition 10 minutes, en remuant. Vérifiez la cuisson en versant ½ cuillerée à café de caramel dans de l'eau froide : il doit se former une petite boule que l'on peut modeler entre ses doigts. Versez la moitié de ce caramel dans un saladier. Ajoutez le chocolat noir haché dans la casserole et faites-le fondre.

Huilez un moule à pain d'une contenance de 500 g avec 1 cuillerée à café d'huile végétale. Versez la moitié du caramel au chocolat dans le moule. Parsemez la moitié des biscuits émiettés. Versez le caramel à la vanille sur les biscuits. Poursuivez avec une couche de biscuits et finissez avec le reste de caramel au chocolat. Laissez refroidir, couvrez avec du film alimentaire puis placez au réfrigérateur jusqu'au lendemain.

Démoulez la préparation sur une planche et coupez-la en morceaux.

Pour des caramels chocolat-orange, préparez le caramel comme indiqué ci-dessus, mais remplacez le chocolat noir par 75 g de chocolat noir parfumé à l'orange, 1 pincée de cannelle et 1 pincée de noix de muscade. Remplacez également les biscuits Oreo par des biscuits au chocolat et à l'orange (style Pim's Orange de LU).

rochers aux fruits secs

Pour **28 rochers**
Préparation **40 minutes**
 + refroidissement,
  réfrigération et prise
Cuisson **10 minutes**

150 g de **fruits à coque**
  entiers (noix de cajou,
  noisettes, pistaches…)
300 g de **chocolat noir**
15 g de **beurre**
2 c. à s. de **sucre glace**
2 c. à s. de **crème fraîche**

Étalez les fruits secs sur une plaque de cuisson recouverte de papier d'aluminium et faites-les griller 3 à 4 minutes sous le gril du four. Quand ils sont dorés, laissez-les refroidir légèrement puis hachez-les grossièrement.

Faites fondre 75 g de chocolat noir au bain-marie (voir page 10). Incorporez le beurre, le sucre glace et la crème fraîche. Remuez jusqu'à obtention d'un mélange lisse et satiné. Ajoutez ensuite les fruits secs (réservez-en 2 cuillerées à soupe). Déposez des cuillerées à café de pâte sur une plaque de cuisson recouverte de papier sulfurisé. Faites prendre 2 à 3 heures au réfrigérateur.

Faites fondre le reste de chocolat. Piquez un rocher sur les dents d'une fourchette et maintenez-le au-dessus du chocolat fondu. À l'aide d'une cuillère, nappez-le de chocolat. Laissez le chocolat s'égoutter quelques instants puis reposez le rocher sur le papier sulfurisé.

Laissez prendre au moins 1 heure au frais. Parsemez de fruits secs hachés. Au moment de servir, posez les rochers dans des petites caissettes en papier.

Pour des rochers au chocolat blanc, ne faites griller que 125 g de fruits secs. Faites fondre 75 g de chocolat blanc puis incorporez le beurre, le sucre glace, la crème fraîche et les fruits secs grillés et hachés. Déposez des cuillerées de pâte sur une plaque, placez au réfrigérateur puis saupoudrez de 2 cuillerées à soupe de sucre glace.

petits cœurs choco blanc menthe

Pour **8 petits cœurs**
Préparation **10 minutes**
  + réfrigération
Cuisson **2 minutes**

200 g de **chocolat blanc**
½ c. à c. d'**extrait
  de menthe poivrée**

Faites fondre le chocolat au bain-marie (voir page 10). Quand le chocolat commence à ramollir, ajoutez l'extrait de menthe et mélangez.

Versez le chocolat fondu dans 8 alvéoles en forme de cœur d'un moule à glaçons souple. Placez délicatement dans le réfrigérateur et laissez prendre pendant 1 heure au moins.

Déposez une feuille de papier sulfurisé sur une plaque de cuisson. Démoulez les cœurs et posez-les sur le papier.

Pour des petits cœurs au chocolat au lait et à l'orange, remplacez le chocolat blanc par 200 g de chocolat au lait, et l'extrait de menthe par ¼ de cuillerée à café d'épices mélangées (cannelle, poivre de la Jamaïque, clou de girofle, coriandre, macis et noix de muscade) et 2 cuillerées à café de zeste d'orange finement râpé. Faites prendre dans les alvéoles d'un moule à glaçons, comme indiqué ci-dessus.

étoiles au gingembre et à l'alcool

Pour **12 étoiles**
Préparation **20 minutes**
  + congélation
Cuisson **5 minutes**

3 morceaux de **gingembre confit**, égouttés
1 c. à s. de **Southern Comfort** ou de **whisky**
200 g de **chocolat noir à l'orange**

Nettoyez un moule à glaçons souple (au moins 12 alvéoles) avec du papier absorbant, puis placez-le au congélateur.

Coupez chaque morceau de gingembre en quatre. Placez les morceaux dans un bol avec le Southern Comfort.

Faites fondre le chocolat au bain-marie (voir page 10). Versez le chocolat fondu dans les alvéoles du moule à glaçons en forme d'étoile jusqu'à mi-hauteur. Déposez un petit morceau de gingembre dans les alvéoles, puis versez le reste de chocolat. Replacez 30 minutes au congélateur.

Démoulez les étoiles sur un morceau de papier sulfurisé. Vous pouvez conserver ces chocolats au réfrigérateur jusqu'au moment de servir.

Pour des étoiles à la menthe, remplacez le gingembre par quelques feuilles de menthe, et le Southern Comfort par 1 cuillerée à soupe de cognac. Déposez une feuille de menthe dans chaque alvéole (en la coupant si nécessaire). Ajoutez 1 cuillerée à soupe de menthe ciselée au chocolat fondu en même temps que le cognac.

cœurs glacés au gingembre

Pour **24 cœurs**
Préparation **30 minutes**
  + réfrigération et prise
Cuisson **15 minutes**

125 g de **beurre**
125 g de **sucre en poudre**
1 **œuf**
125 g de **black treacle**
  ou de **mélasse noire**
400 g de **farine à levure
  incorporée**
2 c. à c. de **gingembre
  en poudre**

Pour décorer
200 g de **chocolat noir**
200 g de **chocolat au lait**
**12 boutons en chocolat
  blanc**

Fouettez ensemble le beurre et le sucre jusqu'à obtention d'un mélange blanc et crémeux. Ajoutez l'œuf et le black treacle ou la mélasse, puis la farine et le gingembre tamisés. Mélangez jusqu'à obtention d'une pâte ferme. Pétrissez légèrement et placez 30 minutes au réfrigérateur.

Huilez légèrement 2 plaques de cuisson. Étalez la pâte sur une épaisseur de 1 cm et découpez des cœurs à l'aide d'un emporte-pièce. Reformez une boule avec les chutes, étalez de nouveau le pâton et découpez d'autres cœurs. Faites cuire les biscuits 10 minutes dans un four préchauffé à 180 °C. Posez les biscuits sur une grille et laissez-les refroidir.

Faites fondre le chocolat noir et le chocolat au lait au bain-marie, séparément (voir page 10). À l'aide d'une cuillère, nappez 12 biscuits de chocolat noir fondu, en en réservant un peu pour le décor. Déposez un bouton en chocolat blanc sur la moitié des biscuits enrobés. Nappez les autres biscuits de chocolat au lait, en réservant un peu de chocolat pour le décor. Déposez un bouton en chocolat blanc sur la moitié des biscuits enrobés de chocolat au lait.

Versez le chocolat au lait restant dans une poche munie d'une douille unie de petit calibre et dessinez des ondulations sur les biscuits enrobés de chocolat noir. Utilisez le chocolat noir restant pour décorer les biscuits enrobés de chocolat au lait. Laissez reposer.

baisers au chocolat

Pour **25 baisers**
Préparation **15 minutes**
  + refroidissement
  et réfrigération
Cuisson **15 minutes**

2 gros **blancs d'œufs**
¼ de c. à c. de **crème
  de tartre** ou 1 goutte
  de vinaigre ou de citron
  (pour stabiliser les blancs
  en neige)
225 g de **sucre en poudre**
4 c. à s. de **cacao
  en poudre** tamisé
150 g de **poudre d'amandes**
1 c. à c. d'**extrait d'amandes**
café espresso
  en accompagnement

Pour la ganache
100 g de **chocolat noir**
  haché
125 ml de **crème fraîche**

Montez les blancs d'œufs et la crème de tartre en neige ferme. Incorporez progressivement le sucre (1 cuillerée à soupe à la fois) jusqu'à épaississement. Ajoutez le cacao, la poudre d'amandes et l'extrait d'amandes, puis mélangez à l'aide d'une cuillère en métal.

Versez la préparation dans une poche munie d'une douille cannelée de gros calibre et déposez des rosettes de pâte (2,5 cm de diamètre) sur 2 grandes plaques de cuisson recouvertes de papier sulfurisé. Vous devez obtenir de 40 à 50 rosettes.

Faites cuire 15 minutes dans un four préchauffé à 150 °C. Sortez les biscuits du four et laissez-les refroidir complètement sur les plaques.

Pour la ganache, faites fondre le chocolat et la crème fraîche au bain-marie (voir page 10). Laissez refroidir puis placez 30 minutes au réfrigérateur. Fouettez bien la préparation. Assemblez les biscuits deux par deux avec la ganache. Servez ces petites douceurs avec du café espresso.

Pour une variante moka-citron, remplacez 2 cuillerées à soupe de cacao en poudre par 2 cuillerées à soupe de café soluble puis mélangez comme indiqué ci-dessus. Répartissez 50 g d'amandes effilées sur les biscuits avant de les enfourner. Remplacez la ganache par 5 cuillerées à soupe de lemon curd mélangées à 150 g de crème fraîche. Filtrez à travers un chinois, puis laissez refroidir.

bûchettes au chocolat

Pour **6 bûchettes**
Préparation **20 minutes**
Cuisson **10 minutes**

3 **œufs**
125 g de **sucre en poudre**
+ 2 c. à s. pour décorer
100 g de **farine ordinaire**
25 g de **cacao en poudre**
1 c. à s. d'**eau chaude**
6 c. à s. de **chocolat
à tartiner** prêt à l'emploi
ou de pâte à tartiner
chocolat-noisettes
(voir page 128)

Fouettez les œufs avec le sucre pendant 10 minutes jusqu'à épaississement. Ajoutez la farine et le cacao tamisés, puis mélangez délicatement. Ajoutez l'eau chaude.

Huilez et tapissez de papier sulfurisé un moule à roulé de 33 x 23 cm. Versez la pâte dans le moule et faites cuire 8 à 10 minutes dans un four préchauffé à 220 °C.

Saupoudrez de sucre semoule une grande feuille de papier sulfurisé. Démoulez le gâteau sur le papier sucré. Ôtez délicatement le papier du dessus. À l'aide d'un couteau bien aiguisé, rognez les bords pour obtenir un rectangle parfait.

Coupez le gâteau en deux, puis coupez les 2 longs rectangles en trois (veillez à couper également le papier sulfurisé en dessous). Utilisez une règle pour que les morceaux aient la même taille. Nappez chaque morceau de pâte à tartiner. Enroulez la pâte pour former des bûchettes en ôtant le papier sulfurisé.

Pour des bûchettes vanille-chocolat, fouettez les œufs avec le sucre et 1 cuillerée à café d'extrait de vanille. Incorporez ensuite la farine, 25 g de fécule de maïs à la place du cacao en poudre et l'eau chaude. Faites cuire au four, rognez les bords, nappez de pâte à tartiner et formez les bûchettes comme indiqué ci-dessus. Pour décorer, arrosez les bûchettes de 75 g de chocolat blanc fondu.

cupcakes au chocolat

Pour **12 cupcakes**
Préparation **10 minutes**
  + refroidissement
Cuisson **18 à 20 minutes**
Finition **20 minutes**

150 g de **beurre**
  ou de **margarine**
150 g de **sucre en poudre**
175 g de **farine à levure
  incorporée**
3 **œufs**
1 c. à c. d'**extrait de vanille**

Pour décorer
100 g de **chocolat blanc**
  haché
100 g de **chocolat au lait**
  haché
100 g de **chocolat noir**
  haché
40 g de **beurre**
cacao en poudre

Fouettez le beurre ou la margarine avec le sucre, la farine, les œufs et l'extrait de vanille.

Garnissez un moule à 12 alvéoles de caissettes en papier. Répartissez la pâte dans les caissettes et faites cuire 18 à 20 minutes dans un four préchauffé à 180 °C. Démoulez et laissez refroidir sur une grille.

Faites fondre le chocolat noir, le chocolat au lait et le chocolat blanc au bain-marie, séparément (voir page 10) avec le beurre que vous aurez divisé en trois. Versez le chocolat blanc fondu sur 4 cupcakes que vous saupoudrerez de cacao.

Versez 2 cuillerées à soupe de chocolat au lait et 2 cuillerées à soupe de chocolat noir dans 2 poches munies de douilles de petit calibre. Étalez le chocolat au lait sur 4 autres cupcakes puis déposez dessus des points de chocolat noir. Étalez le chocolat noir sur les 4 derniers cupcakes puis dessinez des lignes de chocolat au lait.

Pour des cupcakes aux trois chocolats, remplacez 15 g de farine par 15 g de cacao en poudre, et ajoutez 50 g de chocolat blanc haché. Préparez la pâte et faites-la cuire comme indiqué ci-dessus. Décorez les cupcakes refroidis avec le mélange suivant : faites fondre 250 g de chocolat blanc avec 125 ml de crème liquide et 75 g de beurre. Laissez refroidir puis fouettez jusqu'à obtention d'un mélange onctueux et léger. Déposez une rosace de crème sur chaque gâteau.

cigarettes russes au chocolat

Pour **16 cigarettes**
Préparation **20 minutes**
   + prise
Cuisson **4 minutes**
   par fournée

1 **blanc d'œuf**
50 g de **sucre en poudre**
2 c. à s. de **farine ordinaire**
1 c. à s. de **cacao**
   en poudre
2 c. à s. de **crème fraîche**
25 g de **beurre** fondu
150 g de **chocolat noir**

Fouettez ensemble le blanc d'œuf et le sucre. Ajoutez la farine et le cacao tamisés, puis la crème fraîche et le beurre. Mélangez.

Tapissez 4 plaques de cuisson de papier sulfurisé. Les biscuits cuiront en 4 fournées. Déposez 4 cuillerées à dessert de pâte sur une plaque, bien espacées les unes des autres. Étalez légèrement la pâte avec le dos d'une cuillère. Faites cuire 4 minutes dans un four préchauffé à 220 °C jusqu'à ce que les biscuits se soient étalés et que les bords commencent à dorer.

Sortez la plaque du four. À l'aide d'une spatule, décollez les biscuits et enroulez-les autour du manche de 4 cuillères en bois. Quand la pâte a durci, faites glisser les cigarettes le long du manche et posez-les sur une grille. Faites cuire les autres biscuits.

Faites fondre le chocolat au bain-marie (voir page 10). Plongez la moitié de chaque cigarette dans le chocolat fondu. Maintenez les cigarettes quelques instants au-dessus du saladier pour laisser s'égoutter le chocolat. Laissez prendre sur du papier sulfurisé.

Pour une mousse au chocolat blanc à servir en accompagnement, faites fondre 200 g de chocolat blanc et 75 g de beurre au bain-marie. Hors du feu, ajoutez 3 jaunes d'œufs, 1 cuillerée à café d'extrait de vanille et 300 ml de crème fraîche fouettée. Montez 3 blancs d'œufs en neige et incorporez-les à la préparation. Faites prendre au réfrigérateur.

cookies au chocolat fondant

Pour **9 cookies**
Préparation **15 minutes**
+ réfrigération
et refroidissement
Cuisson **10 minutes**

150 g de **beurre**
150 g de **sucre en poudre**
1 **jaune d'œuf**
250 g de **farine à levure
incorporée**
25 g de **cacao en poudre**
100 g de **chocolat noir,
au lait** ou **blanc,**
cassé en carrés

Battez le beurre et le sucre. Ajoutez le jaune d'œuf, puis la farine et le cacao tamisés. Mélangez jusqu'à obtention d'une pâte ferme. Pétrissez légèrement cette pâte sur un plan de travail fariné, puis emballez-la dans du film alimentaire et placez-la 20 minutes au réfrigérateur.

Divisez la pâte en quatre. Étalez un pâton au rouleau sur une feuille de papier sulfurisé, et découpez 9 disques de 5 cm de diamètre. Déposez un carré de chocolat au centre de chaque disque. Abaissez un autre pâton. Découpez 9 autres disques que vous poserez sur les 9 premiers, en enfermant le carré de chocolat. Soudez bien les bords. Posez les cookies et la feuille de papier sulfurisé sur une plaque de cuisson. Répétez l'opération avec les 2 autres pâtons.

Faites cuire 10 minutes dans un four préchauffé à 190 °C. Laissez reposer 10 minutes puis laissez refroidir sur une grille.

Pour des cookies chocolat-gingembre, remplacez le cacao par 1 cuillerée à soupe de gingembre en poudre et 1 pincée d'épices mélangées (cannelle, poivre de la Jamaïque, clou de girofle, coriandre, macis et noix de muscade). Faites cuire comme indiqué ci-dessus. Égouttez 2 morceaux de gingembre confit, hachez-les et mélangez-les à 4 cuillerées à soupe de chocolat à tartiner de qualité ou de pâte à tartiner maison (voir page 128). Quand les biscuits sont complètement froids, assemblez-les deux par deux avec cette pâte au chocolat et au gingembre.

florentins

Pour **48 florentins**
Préparation **30 minutes**
  + refroidissement et prise
Cuisson **10 minutes**

150 g de **beurre**
175 g de **sucre en poudre**
4 c. à s. de **crème fraîche**
75 g d'**écorces d'orange
  confites** hachées
50 g de **cerises
  confites** hachées
50 g d'**amandes** effilées
40 g d'**airelles séchées**
25 g de **pignons de pin**
50 g de **farine** ordinaire
150 g de **chocolat noir**
150 g de **chocolat blanc**

Faites fondre le beurre et le sucre à feu doux.
Augmentez le feu et portez à ébullition. Retirez la
casserole du feu et ajoutez la crème fraîche, les écorces
confites, les cerises, les amandes, les airelles, les pignons
et la farine. Remuez.

Huilez et tapissez de papier sulfurisé 2 grandes plaques
de cuisson. Déposez 12 cuillerées à café bombées
de pâte (un quart de la préparation) sur chaque plaque,
en les espaçant d'au moins 5 cm. Faites cuire 7 minutes
dans un four préchauffé à 180 °C.

Sortez les plaques du four. À l'aide d'un emporte-pièce,
coupez les bords des florentins de manière à obtenir
des disques parfaits de 5 cm de diamètre. Poursuivez
la cuisson 3 à 4 minutes. Sortez du four et laissez
reposer 2 minutes. À l'aide d'une spatule, déplacez
les florentins sur une feuille de papier sulfurisé et laissez-
les refroidir. Répétez l'opération avec le reste de pâte.

Faites fondre le chocolat noir et le chocolat blanc
au bain-marie, séparément (voir page 10). Dessinez
des lignes de chocolat fondu sur les florentins à l'aide
d'une poche à douille. Laissez prendre.

Pour réaliser des macarons chocolat-coco,
montez en neige ferme le blanc d'un gros œuf. Ajoutez
progressivement 225 g de sucre, 4 cuillerées à soupe
de farine ordinaire tamisée et 225 g de noix de coco
séchée. Déposez des cuillerées de pâte sur 2 plaques
de cuisson tapissées de papier sulfurisé, puis enfournez.

biscotti au chocolat et aux noix

Pour **20 biscotti**
Préparation **15 minutes**
 + refroidissement
Cuisson **40 minutes**

200 g de **chocolat noir**
25 g de **beurre**
200 g de **farine à levure
 incorporée**
1 ½ c. à c. de **levure
 chimique**
100 g de **sucre roux**
50 g de **semoule fine**
 ou de **polenta**
le **zeste** finement râpé
 de ½ **orange**
1 **œuf**
1 c. à c. d'**extrait de vanille**
100 g de **noix** hachées
sucre glace

Faites fondre le chocolat au bain-marie (voir page 10).
Incorporez le beurre.

Tamisez la farine et la levure au-dessus d'un saladier.
Ajoutez le sucre, la semoule ou la polenta, le zeste
d'orange, l'œuf, l'extrait de vanille et les noix. Ajoutez
ensuite le chocolat fondu puis mélangez. Si la pâte est
trop sèche, ajoutez 1 cuillerée à soupe d'eau.

Posez la pâte sur un plan de travail fariné et divisez-la
en deux. Façonnez 2 bûches d'environ 28 cm de long.
Huilez légèrement une grande plaque de cuisson.
Déposez les deux bûches de pâte sur la plaque
et aplatissez-les sur une épaisseur de 1,5 cm.

Faites cuire 25 minutes dans un four préchauffé à
160 °C. Laissez refroidir puis découpez les bûches en
tranches de 1,5 cm d'épaisseur, en oblique. Disposez
les biscuits sur la plaque de cuisson, en les espaçant
légèrement, et poursuivez la cuisson 10 minutes.
Laissez refroidir puis saupoudrez de sucre glace.

**Pour des biscotti au chocolat, aux amandes et
aux noix du Brésil,** tamisez 250 g de farine ordinaire
et 1 ½ cuillerée à café de levure chimique au-dessus
d'un saladier. Ajoutez 25 g de cacao en poudre, 150 g
de sucre, 75 g de noix du Brésil hachées, 3 œufs et
2 cuillerées à café d'extrait de vanille. Façonnez 2 bûches
de pâte et faites cuire comme indiqué ci-dessus. Après
avoir laissé refroidir et découpé les tranches, poursuivez
la cuisson 15 minutes.

biscuits à la vanille et au cacao

Pour **18 biscuits**
Préparation **15 minutes**
  + réfrigération
  et refroidissement
Cuisson **10 à 12 minutes**

125 g de **beurre**
125 g de **sucre en poudre**
1 c. à c. d'**extrait de vanille**
175 g de **farine** ordinaire
1 c. à s. de **cacao**
  en poudre
1 **gros œuf**
1 **jaune d'œuf**

Pour le glaçage
125 g de **sucre glace**
2 c. à s. d'**eau**

Mélangez le beurre, le sucre et l'extrait de vanille dans un robot. Ajoutez la farine, le cacao, l'œuf entier et le jaune d'œuf. Mélangez à nouveau jusqu'à ce que la pâte forme une boule. Sortez la boule du robot, pétrissez-la légèrement, emballez-la dans du film alimentaire puis placez-la 30 minutes au réfrigérateur.

Étalez la pâte au rouleau, entre 2 feuilles de papier sulfurisé, sur une épaisseur de 2,5 mm. À l'aide d'un emporte-pièce de 5 cm, découpez 15 cœurs. Reformez une boule avec les chutes, abaissez le pâton et découpez 3 autres cœurs. Posez-les sur 2 plaques de cuisson, sans enlever le papier sulfurisé.

Faites cuire 10 à 12 minutes dans un four préchauffé à 180 °C. Laissez reposer 5 minutes sur les plaques puis mettez les biscuits à refroidir sur une grille.

Tamisez le sucre glace. Ajoutez-lui 1 cuillerée à soupe d'eau froide, remuez puis ajoutez encore 1 cuillerée à soupe d'eau. Versez cette pâte dans une poche munie d'une douille unie de petit calibre et décorez les cœurs.

Pour des biscuits au chocolat et au miel, faites fondre 50 g de beurre dans une casserole avec 2 cuillerées à soupe de miel et 50 g de sucre roux. Versez ce mélange dans un saladier. Ajoutez 50 g de farine ordinaire, ½ cuillerée à café d'extrait de vanille et 2 blancs d'œufs. Déposez des cuillerées à soupe de pâte sur 2 plaques de cuisson recouvertes de papier sulfurisé. Parsemez de 50 g de chocolat noir haché et de 50 g de noix de pécan hachées. Faites cuire puis décorez comme ci-dessus.

bouchées au chocolat et aux fruits secs

Pour **8 personnes**
Préparation **30 minutes**
  + réfrigération
Cuisson **5 minutes**

50 g de **raisins secs blonds**
75 g de **dattes** hachées
4 c. à s. de **rhum**
200 g de **chocolat noir**
125 g de **beurre**
150 g de **golden syrup**
250 g de **biscuits sablés** émiettés grossièrement
le **zeste** finement râpé de ½ **orange**

Pour la garniture
100 g de **chocolat noir**
100 g de **chocolat blanc**
50 g de **bonbons Maltesers** hachés

Faites tremper les raisins secs et les dattes dans le rhum pendant 30 minutes.

Faites fondre le chocolat, le beurre et le golden syrup dans une casserole. Hors du feu, ajoutez les biscuits, le zeste d'orange et les fruits secs imbibés de rhum. Huilez un moule carré de 18 cm de côté et tapissez le fond de papier sulfurisé. Versez la pâte dans le moule et placez-la 1 heure au réfrigérateur.

Pour la garniture, faites fondre le chocolat noir et le chocolat blanc au bain-marie, séparément (voir page 10). Versez le chocolat noir dans le moule sur la préparation aux fruits secs. Nappez ensuite de chocolat blanc. A l'aide d'une brochette faites quelques zigzags pour obtenir un effet marbré. Parsemez de Maltesers hachés. Placez 2 heures au réfrigérateur. Coupez en triangles puis servez.

Pour des bouchées au chocolat au lait, aux raisins de Corinthe et aux pruneaux, remplacez les raisins secs blonds et les dattes par 50 g de raisins de Corinthe et 75 g de pruneaux hachés. Versez 4 cuillerées à soupe de xérès ou de cognac et laissez tremper 30 minutes. Faites fondre 125 g de chocolat au lait avec le beurre et le golden syrup, et poursuivez comme indiqué ci-dessus. Pour la garniture, faites fondre 150 g de chocolat au lait au bain-marie et versez-le sur la pâte. Faites prendre 2 heures au réfrigérateur.

cookies sans gluten

Pour **30 cookies**
Préparation **10 minutes**
  + refroidissement
Cuisson **10 minutes**

75 g de **beurre**
100 g de **sucre en poudre**
74 g de **sucre roux**
1 **œuf** battu
150 g de **crème de riz**
  complet
  + quelques pincées
½ c. à c. de **bicarbonate**
  de soude
1 c. à s. de **cacao**
  en poudre
75 g de **pépites de chocolat**
  noir

Mélangez tous les ingrédients dans un robot, à l'exception des pépites de chocolat, jusqu'à obtention d'une pâte lisse. Vous pouvez aussi fouetter les ingrédients dans un grand saladier. Ajoutez les pépites de chocolat et rassemblez la pâte avec les mains.

Saupoudrez légèrement le plan de travail avec quelques pincées de crème de riz complet. Posez le pâton sur le plan de travail et façonnez 30 boulettes. Disposez les boulettes sur plusieurs plaques de cuisson recouvertes de papier sulfurisé, en les espaçant largement. Aplatissez-les légèrement avec une fourchette.

Faites cuire 8 à 10 minutes dans un four préchauffé à 180 °C. Sortez les cookies du four, laissez-les reposer quelques minutes puis mettez-les à refroidir complètement sur une grille.

Pour des cookies à la cerise et au chocolat, remplacez le sucre en poudre par 100 g de sucre roux, et ajoutez-le aux autres ingrédients, dans le robot. Ajoutez 50 g de pépites de chocolat sans gluten et 50 g de griottes, puis suivez la recette ci-dessus.

brownies au chocolat

Pour **10 brownies**
Préparation **15 minutes**
+ refroidissement
Cuisson **25 minutes**

75 g de **chocolat noir**
75 g de **beurre**
2 **œufs**
250 g de **sucre en poudre**
100 g de **farine** ordinaire
½ c. à c. de **levure chimique**

Faites fondre le chocolat et le beurre au bain-marie (voir page 10).

Fouettez ensemble les œufs et le sucre jusqu'à obtention d'un mélange blanc et crémeux. Incorporez le chocolat fondu, la farine tamisée et la levure.

Huilez un moule carré de 20 cm de côté et tapissez le fond de papier sulfurisé. Versez la pâte dans le moule et faites cuire 25 minutes dans un four préchauffé à 190 °C. Vérifiez la cuisson en piquant une brochette au centre du gâteau : elle doit en ressortir sèche. Laissez refroidir 5 minutes dans le moule puis découpez le gâteau en carrés.

Pour une variante au caramel, au chocolat et aux fruits secs, ajoutez à la farine 125 g de noix, de noix de pécan et de noisettes hachées. Faites fondre 200 g de caramels mous et 4 cuillerées à soupe de crème fraîche dans une casserole. Versez la moitié de la pâte dans le moule. Nappez de sauce caramel puis versez le reste de pâte. Faites cuire comme indiqué ci-dessus.

gâteau caramélisé aux pignons

Pour **12 parts**
Préparation **20 minutes**
 + réfrigération
 et refroidissement
Cuisson **20 à 25 minutes**

125 g de **beurre**
65 g de **sucre**
 + quelques pincées
125 g de **farine** ordinaire
65 g de **crème de riz**
1 pincée de **sel**
200 g de **chocolat noir**

Pour le caramel
aux pignons
50 g de **beurre**
50 g de **sucre roux**
400 g de **lait concentré
 sucré**
50 g de **pignons de pin**

Fouettez ensemble le beurre et le sucre jusqu'à obtention d'un mélange pâle et léger. Ajoutez la farine tamisée, la crème de riz et le sel puis travaillez la pâte jusqu'à ce qu'elle soit lisse. Aplatissez la pâte de manière à former une galette, emballez-la dans du film alimentaire puis placez-la 30 minutes au réfrigérateur.

Huilez et tapissez de papier sulfurisé un moule carré de 20 cm de côté en faisant déborder le papier. Abaissez la pâte au rouleau sur un plan de travail fariné. Déposez la galette de pâte dans le moule, pressez bien et lissez la surface. Faites cuire 20 à 25 minutes dans un four préchauffé à 190 °C. Sortez le gâteau du four et laissez-le refroidir dans le moule.

Pour le caramel, faites chauffer le beurre, le sucre et le lait concentré à feu doux en remuant constamment. Quand le beurre est fondu et que le sucre est dissous, augmentez le feu et portez à ébullition. Maintenez l'ébullition 5 minutes, en remuant, jusqu'à épaississement. Hors du feu, ajoutez les pignons. Versez ce caramel sur le gâteau. Laissez reposer jusqu'à ce que le caramel soit pris puis placez-le 2 heures au réfrigérateur.

Faites fondre le chocolat au bain-marie (voir page 10). Versez le chocolat sur la couche de caramel et lissez la surface à l'aide d'une spatule. Laissez reposer. Quand le chocolat est pris, démoulez le gâteau et coupez-le en 12 parts.

macarons au chocolat

Pour **25 macarons**
Préparation **10 minutes**
Cuisson **15 minutes**

50 g de **chocolat noir** râpé
2 **blancs d'œufs**
100 g de **sucre en poudre**
125 g de **poudre d'amandes**
25 **grains de café enrobés de chocolat** pour décorer

Montez les blancs d'œufs en neige ferme. Incorporez progressivement le sucre jusqu'à ce que le mélange soit épais et satiné. Incorporez la poudre d'amandes et le chocolat râpé.

Tapissez une grande plaque de cuisson de papier sulfurisé. Versez la préparation dans une poche munie d'une douille unie d'un gros calibre et déposez des petits tas de pâte d'environ 4 cm de diamètre sur le papier. Vous pouvez aussi utiliser une cuillère à café à la place de la poche à douille.

Enfoncez un grain de café enrobé de chocolat au centre de chaque macaron. Faites cuire environ 15 minutes dans un four préchauffé à 180 °C. Laissez refroidir les macarons sur le papier.

Pour des macarons au chocolat blanc et aux pistaches, remplacez le chocolat noir par 50 g de chocolat blanc, et la poudre d'amandes par 125 g de pistaches hachées. Faites cuire comme indiqué ci-dessus.

classiques
revisités

trifle chocolat-brownie-caramel

Pour **10 personnes**
Préparation **30 minutes**
 + réfrigération
Cuisson **10 minutes**

200 g de **brownies**
 au chocolat tout faits
 ou de brownies maison
 (voir page 192)
3 c. à s. de **liqueur**
 de chocolat
225 g de **chocolat noir**
225 ml d'**eau bouillante**
20 **décorations en chocolat**

Pour la crème pâtissière
3 **jaunes d'œufs**
25 g de **sucre en poudre**
1 c. à c. de **fécule de maïs**
275 ml de **crème fraîche**

Pour le topping
275 ml de **crème fraîche**
1 c. à c. d'**extrait de vanille**
1 c. à s. de **sirop d'érable**

Émiettez les brownies et disposez-les dans le fond de 10 coupelles en verre. Arrosez de liqueur de chocolat.

Faites fondre le chocolat au bain-marie. Ajoutez l'eau bouillante (1 cuillerée à soupe à la fois) en remuant. Lissez la sauce puis versez-la sur les brownies. Couvrez et placez 2 heures au réfrigérateur.

Pour la crème pâtissière, dans un saladier, mélangez les jaunes d'œufs avec le sucre et la fécule de maïs. Portez la crème fraîche à ébullition puis incorporez-la dans le saladier. Reversez le tout dans la casserole et faites chauffer à feu doux, sans cesser de remuer, jusqu'à épaississement. Quand la crème est bien lisse, versez-la dans un récipient que vous recouvrirez de papier sulfurisé. Placez 1 heure au réfrigérateur. Quand la sauce au chocolat sur les brownies est prise, recouvrez-la de crème pâtissière et replacez au réfrigérateur.

Fouettez la crème fraîche. Incorporez l'extrait de vanille et le sirop d'érable. Versez cette crème sur la couche de crème pâtissière. Garnissez avec des décorations en chocolat (voir page 13).

Pour un trifle banane-confiture de lait,
réfrigérez les brownies émiettés et nappés de sauce au chocolat. Mélangez 2 bananes coupées en rondelles avec 6 cuillerées à soupe de jus de fruits tropicaux et répartissez-les sur les brownies. Mélangez 250 g de crème pâtissière et 250 g de mascarpone. Versez sur les bananes et garnissez de 4 cuillerées à soupe de confiture de lait.

omelette norvégienne au chocolat

Pour **4 à 6 personnes**
Préparation **10 minutes**
+ congélation
Cuisson **5 minutes**

1 petit **fond de tarte
à génoise**
2 c. à s. de **jus de pomme**
ou de **liqueur de chocolat**
4 c. à s. de **confiture
de cerises,**
de **framboises**
ou de **fraises**
500 ml de **glace
au chocolat** de qualité
3 **blancs d'œufs**
125 g de **sucre en poudre**

Posez la génoise dans le fond d'un moule. Arrosez de jus de pomme ou de liqueur de chocolat puis versez la confiture et étalez-la uniformément.

Décollez la glace de son contenant avec la lame d'un couteau. Démoulez la glace sur la génoise. Placez le plat au congélateur.

Montez les blancs d'œufs en neige très ferme dans un récipient parfaitement propre (si vous voyez une pointe de jaune, retirez-la avec une cuillère). Inclinez le récipient : si la neige ne bouge pas, c'est qu'elle est parfaite. Incorporez le sucre (1 cuillerée à soupe à la fois) jusqu'à ce que la meringue soit lisse, satinée et bien ferme.

Étalez la meringue sur la glace à l'aide d'une spatule, en veillant à ce que toute la glace soit recouverte. Replacez au congélateur pendant au moins 1 heure, ou plus si vous avez le temps.

Faites cuire 5 minutes dans un four préchauffé à 220 °C jusqu'à ce que la meringue commence à se colorer. Servez aussitôt.

Pour une variante aux deux chocolats, remplacez la génoise par 6 brownies au chocolat (voir page 192) que vous disposerez dans le fond du moule. Ajoutez 100 g de pépites de chocolat blanc à la pâte à meringue puis suivez les indications ci-dessus.

gâteau au chocolat sans farine

Pour **8 personnes**
Préparation **1 à 2 minutes**
  + refroidissement
Cuisson **50 minutes**

300 g de **chocolat noir**
  cassé en morceaux
175 g de **beurre**
2 c. à c. d'**extrait de vanille**
5 **œufs**
6 c. à s. de **crème fraîche**
  épaisse
  + quelques cuillerées
  (facultatif)
225 g de **sucre en poudre**
1 poignée de **myrtilles**
1 poignée de **framboises**

Faites fondre le chocolat et le beurre au bain-marie
(voir page 10), en remuant jusqu'à obtention d'un
mélange lisse. Hors du feu, ajoutez l'extrait de vanille.

Fouettez les œufs, la crème épaisse et le sucre 3
à 4 minutes (le mélange doit rester relativement fluide),
puis incorporez la préparation au chocolat.

Tapissez de papier sulfurisé un moule à gâteau
de 23 cm de diamètre. Versez la pâte dans le moule
et faites cuire 45 minutes dans un four préchauffé à
180 °C jusqu'à ce qu'une croûte se forme sur le dessus.
Laissez le gâteau refroidir puis décollez-le de la paroi
du moule à l'aide d'un couteau.

Démoulez le gâteau sur un plat de service. Parsemez
de myrtilles et de framboises, et servez avec de la
crème fraîche épaisse si vous le souhaitez.

Pour réaliser un coulis de framboises que vous
pourrez servir en accompagnement à la place des fruits
et de la crème épaisse, mixez 200 g de framboises
et 2 cuillerées à soupe de sucre dans un robot jusqu'à
obtention d'une purée lisse. Passez la purée de fruits
à travers une passoire en métal. Déposez des parts
de gâteau sur des assiettes et versez le coulis en filet
autour du gâteau.

muffins chocolat blanc vanille

Pour **12 muffins**
Préparation **15 minutes**
  + refroidissement
Cuisson **25 minutes**

125 g de **farine** ordinaire
200 g de **farine à levure incorporée**
½ c. à c. de **levure chimique**
125 g de **chocolat blanc** râpé grossièrement ou haché
½ c. à c. de **bicarbonate de soude**
200 g de **sucre en poudre**
le **zeste** finement râpé de 1 **citron**
200 g de **beurre** fondu
3 gros **œufs**
125 ml de **crème aigre**
1 c. à c. d'**extrait de vanille**
125 ml de **vin doux**
sucre glace

Tamisez les deux farines et la levure au-dessus d'un grand saladier. Ajoutez le chocolat blanc, le bicarbonate de soude, le sucre et le zeste de citron, puis mélangez.

Dans un autre saladier, mélangez ensemble le beurre, les œufs, la crème aigre et l'extrait de vanille. Versez la préparation obtenue dans le premier saladier et mélangez bien.

Garnissez un moule à muffins de 12 alvéoles de caissettes en papier. Répartissez la pâte dans les caissettes et faites cuire 25 minutes dans un four préchauffé à 180 °C. Vérifiez la cuisson en enfonçant une brochette au centre d'un muffin : elle doit en ressortir sèche.

Démoulez les muffins à l'aide d'une spatule et laissez-les refroidir sur une grille. Faites quelques trous dans chaque muffin à l'aide d'une brochette et arrosez-les de vin doux. Saupoudrez de sucre glace et servez.

Pour réaliser un topping spécial muffins, faites fondre 200 g de chocolat blanc avec 140 g de sirop de glucose. Incorporez 100 g de sucre glace tamisé et remuez jusqu'à ce qu'une boule se forme. Coupez cette boule en 12 morceaux. Modelez 12 fleurs que vous poserez sur les muffins. N'effectuez ce décor que quelques heures avant de servir.

cake au chocolat blanc

Pour **35 personnes**
Préparation **1 h 30**
 + refroidissement
Cuisson **2 heures**

625 g de **fruits secs**
 mélangés (raisins,
 abricots, etc.)
150 ml de **cognac**
500 g de **beurre**
500 g de **sucre en poudre**
8 **œufs**
500 g de **farine à levure
 incorporée**
50 g de **cacao en poudre**
1 c. à s. d'**épices
 mélangées** (cannelle,
 poivre de la Jamaïque,
 clou de girofle, coriandre,
 macis et noix de muscade)
1 c. à s. de **gingembre
 en poudre**
200 g de **noix de pécan**
200 g de **chocolat au lait**
200 g de **chocolat blanc**
 haché
6 c. à s. de **glaçage
 à l'abricot** prêt à l'emploi
1 kg de **pâte d'amandes
 blanche**

**Pour décorer
fleurs blanches
sucre glace**

Faites chauffer les fruits secs avec 100 ml de cognac,
à feu doux.

Travaillez le beurre et le sucre jusqu'à obtention d'un
mélange léger. Incorporez progressivement les œufs.
Ajoutez la farine tamisée, le cacao, les épices et le
gingembre. Ajoutez ensuite les noix de pécan, les deux
chocolats, les fruits imbibés et le cognac. Mélangez.

Huilez et tapissez de papier sulfurisé 2 moules à cake,
de 23 et de 15 cm de diamètre. Répartissez la pâte
dans les moules et faites cuire, dans un four préchauffé
à 150 °C, 1 h 45 pour le petit cake et 2 heures pour
le grand. Laissez refroidir les gâteaux dans les moules.

Faites chauffer le glaçage à l'abricot avec le reste
de cognac. Coupez le dessus du grand gâteau pour
égaliser la surface. Posez le cake sur un plat de service
et badigeonnez-le de glaçage à l'abricot.

Étalez au rouleau les deux tiers de la pâte d'amandes
sur une surface saupoudrée de sucre glace de manière
à obtenir un disque de 33 cm de diamètre. Déposez le
disque sur le grand gâteau. Éliminez l'excédent de pâte
à la base du gâteau. Déposez le petit cake sur le grand
et badigeonnez-le de glaçage. Abaissez le reste de pâte
d'amandes pour obtenir un disque de 25 cm de diamètre
qui servira à envelopper le petit gâteau.

Nouez un ruban large autour des gâteaux et décorez
avec des fleurs blanches. Saupoudrez de sucre glace.

cake chocolat raisins noisettes

Pour **12 personnes**
Préparation **15 minutes**
  + refroidissement
Cuisson **2 heures**

75 g de **copeaux
  de chocolat**
225 g de **beurre**
  ou de **margarine**
225 g de **sucre en poudre**
275 g de **farine à levure
  incorporée**
25 g de **cacao en poudre**
4 **œufs**
150 g de **noisettes** hachées
  grossièrement
200 g de **chocolat noir**
  haché
225 g de **raisins secs**
cacao en poudre
  ou **sucre glace**

Travaillez le beurre ou la margarine et le sucre.
Ajoutez la farine, le cacao et les œufs puis fouettez
jusqu'à obtention d'une pâte lisse. Réservez la moitié
des copeaux de chocolat, 50 g de noisettes et 50 g
de chocolat noir haché. Incorporez les copeaux,
les noisettes et le chocolat râpé restants à la pâte
avec les raisins secs.

Huilez et tapissez de papier sulfurisé un moule rond
de 20 cm de diamètre ou un moule carré de 18 cm
de côté. Versez la pâte dans le moule. Répartissez
sur la pâte les copeaux de chocolat, les noisettes
et le chocolat râpé que vous avez mis de côté. Faites
cuire environ 2 heures dans un four préchauffé à 150 °C.
Vérifiez la cuisson en enfonçant une brochette au centre
du gâteau : elle doit en ressortir sèche.

Laissez le gâteau refroidir dans le moule. Saupoudrez
légèrement de cacao en poudre ou de sucre glace
et servez.

Pour un cake chocolat-banane-amandes, préparez
la pâte comme indiqué ci-dessus, mais remplacez
75 g de farine par 75 g de poudre d'amandes, et
les noisettes par des amandes effilées. Incorporez
également 2 bananes écrasées. Versez la pâte dans
un moule rectangulaire de 18 x 28 cm. Parsemez
de copeaux de chocolat, de chocolat noir haché
et d'amandes effilées. Faites cuire comme ci-dessus,
puis coupez des parts et servez.

mince pies au chocolat

Pour **12 mince pies**
Préparation **45 minutes**
  + réfrigération
  et refroidissement
Cuisson **30 minutes**

350 g de **farine** ordinaire
  + quelques pincées
3 c. à s. de **cacao**
  en poudre
6 c. à s. de **sucre glace**
200 g de **beurre** bien froid
  coupé en cubes
1 gros **œuf** légèrement battu
1 ou 2 c. à s. d'**eau glacée**
750 g de **mincemeat**
  (spécialité anglaise à base
  de fruits secs et d'épices)
75 g de **noix de pécan**
  hachées
50 g de **chocolat noir**
  haché
3 c. à s. de **glaçage**
  à l'abricot
  ou de **gelée d'airelles**
1 c. à s. de **sucre glace**

Mélangez la farine, le cacao en poudre et le sucre glace dans un robot quelques secondes. Ajoutez le beurre et mélangez jusqu'à obtention d'un sable grossier. Ajoutez ensuite l'œuf, 1 cuillerée à soupe d'eau et mélangez jusqu'à ce que la pâte commence à former une boule (ajoutez un peu d'eau si nécessaire). Sur un plan de travail fariné, pétrissez le mélange jusqu'à obtention d'une pâte lisse. Emballez la boule de pâte dans du film alimentaire et placez-la 1 heure au réfrigérateur.

Abaissez la pâte au rouleau sur un plan de travail fariné. Découpez des disques dans la pâte en vous aidant d'une soucoupe ou d'un moule à tartelette de 12 cm de diamètre. Reformez une boule avec les chutes, abaissez le nouveau pâton et découpez d'autres disques.

Huilez un moule à muffins de 12 alvéoles ou garnissez-le de caissettes en papier. Tapissez les alvéoles avec les disques de pâte et placez 15 minutes au réfrigérateur. Répartissez le mélange de fruits secs et d'épices (mincemeat) dans les alvéoles et parsemez de noix de pécan et de chocolat noir haché.

Ramenez la pâte sur la garniture. Badigeonnez le dessus de glaçage à l'abricot ou de gelée d'airelles et faites cuire 30 minutes dans un four préchauffé à 200 °C. Laissez refroidir dans le moule. Démoulez, ôtez les caissettes en papier, saupoudrez de sucre glace et servez.

choux au caramel et au chocolat

Pour **8 choux**
Préparation **30 minutes**
  + refroidissement
Cuisson **45 minutes**

50 g de **beurre**
150 ml d'**eau gazeuse**
1 c. à s. de **sucre
  en poudre**
65 g de **farine** ordinaire
  tamisée
2 **œufs** légèrement battus

Pour le topping
200 g de **chocolat noir**
75 g de **beurre**

Pour la garniture
300 ml de **crème fraîche**
1 c. à c. d'**extrait de vanille**
1 c. à c. de **sucre
  en poudre**
8 c. à s. de **confiture de lait**
  (ou « dulce de leche »)

Faites fondre le beurre avec l'eau gazeuse et le sucre dans une casserole à fond épais. Portez à ébullition. Hors du feu, ajoutez la farine en une seule fois. Fouettez énergiquement à l'aide d'une cuillère en bois jusqu'à ce que la pâte se détache des bords. Déposez la boule de pâte dans un récipient et laissez refroidir 15 minutes. Incorporez 1 œuf à la fois, en fouettant, jusqu'à obtention d'une pâte lisse et satinée.

Aspergez d'eau une feuille de papier sulfurisé. Déposez 8 grosses cuillerées à soupe de pâte sur le papier en les espaçant largement. Faites cuire 30 minutes dans un four préchauffé à 220 °C. Éteignez le four. Percez chaque chou avec un couteau tranchant pour laisser la vapeur s'échapper. Laissez sécher 10 à 15 minutes dans le four puis laissez refroidir sur une grille.

Pour le topping, faites fondre le chocolat et le beurre au bain-marie (voir page 10). Coupez les choux en deux.

Pour la garniture, fouettez la crème fraîche avec l'extrait de vanille et le sucre. Déposez 1 cuillerée de confiture de lait dans chaque chou. Ajoutez 1 cuillerée de crème fraîche fouettée et refermez les choux. Nappez de chocolat fondu.

Pour des choux banane-caramel, coupez 2 petites bananes en rondelles. Tournez les rondelles dans 2 cuillerées à café de jus de citron. Posez quelques rondelles de bananes sur la couche de confiture de lait. Filtrez à travers un chinois, puis laissez refroidir.

muffins chocolat-orange aux flocons d'avoine

Pour **9 ou 10 muffins**
Préparation **10 minutes**
Cuisson **15 à 20 minutes**

225 g de **farine** ordinaire
2 c. à c. de **levure chimique**
le **zeste** finement râpé
  de 1 **orange**
50 g de **flocons d'avoine**
  + quelques pincées
75 g de **sucre roux**
200 g de **yaourt grec**
4 c. à s. d'**huile**
  de tournesol
  ou autre **huile végétale**
150 ml de **lait**
1 **œuf**
200 g de **chocolat au lait**
  haché

Tamisez la farine et la levure au-dessus d'un saladier. Ajoutez le zeste d'orange, les flocons d'avoine et le sucre.

Dans un saladier, fouettez le yaourt avec l'huile, le lait et l'œuf. Versez ce mélange dans le saladier avec le chocolat. Mélangez délicatement à l'aide d'une grande spatule en métal. Ajoutez un peu de lait si le mélange est trop sec.

Garnissez un moule à muffins de 10 alvéoles de caissettes en papier. Répartissez la pâte dans les caissettes et parsemez le dessus de flocons d'avoine. Faites cuire 15 à 20 minutes dans un four préchauffé à 200 °C. Servez chaud ou froid.

Pour des muffins au muesli, remplacez les flocons d'avoine par 75 g de muesli. Ajoutez le yaourt, l'huile, le lait et l'œuf. Réduisez la quantité de chocolat au lait à 75 g. Remuez et faites cuire comme indiqué ci-dessus.

flapjacks aux fruits rouges et au chocolat

Pour **12 flapjacks**
Préparation **20 minutes**
  + refroidissement et prise
Cuisson **25 à 30 minutes**

200 g de **beurre**
150 g de **golden syrup**
450 g de **flocons d'avoine**
75 g de **sucre roux**
125 g de **fruits rouges
  séchés** mélangés (cerises,
  framboises, myrtilles…)
200 g de **chocolat au lait**

Faites fondre le beurre et le golden syrup à feu doux. Hors du feu, ajoutez les flocons d'avoine, le sucre et les fruits rouges séchés. Mélangez soigneusement.

Huilez un moule carré de 23 cm de côté et de 6 cm de haut. Versez la pâte dans le moule et tassez-la avec le dos d'une cuillère. Faites cuire 25 à 30 minutes dans un four préchauffé à 190 °C jusqu'à ce que le gâteau soit doré et ferme au toucher. Laissez refroidir.

Faites fondre le chocolat au bain-marie (voir page 10) et versez-le sur le gâteau. Laissez prendre. Découpez-le en 12 parts.

Pour une variante aux fruits tropicaux et au chocolat blanc, remplacez les fruits rouges séchés par 125 g de mangue, de papaye et d'ananas séchés. Faites cuire comme ci-dessus. Remplacez le chocolat au lait par 200 g de chocolat blanc. Nappez le gâteau de chocolat fondu et parsemez-le de noix de coco séchée.

tarte chocolat pécan au sirop d'érable

Pour **8 personnes**
Préparation **30 minutes**
 + refroidissement
Cuisson **35 à 40 minutes**

200 g de **chocolat noir**
50 g de **beurre**
75 g de **sucre en poudre**
175 ml de **sirop d'érable**
3 **œufs**
350 g de **pâte feuilletée**
 ou **brisée** prête à l'emploi
 (décongelée,
 si elle est surgelée)
125 g de **noix de pécan**
sucre glace

Préchauffez le four à 180 °C. Glissez une plaque de cuisson dans le four pour la réchauffer. Faites fondre le chocolat au bain-marie (voir page 10). Incorporez le beurre.

Faites dissoudre le sucre dans le sirop d'érable à feu doux. Laissez refroidir légèrement. Battez les œufs. Ajoutez-leur le chocolat fondu et le mélange sucre-sirop d'érable.

Huilez un moule à tarte à fond amovible de 23 cm de diamètre et de 3 cm de haut. Abaissez la pâte au rouleau sur un plan de travail légèrement fariné et garnissez-en le moule. Versez la garniture sur la pâte. Posez le moule sur la plaque de cuisson bien chaude et faites cuire 15 minutes jusqu'à ce que la garniture commence à prendre.

Sortez la tarte du four et parsemez-la de noix de pécan. Poursuivez la cuisson 10 minutes jusqu'à ce que les noix commencent à dorer. Sortez la tarte et augmentez la température du four à 230 °C. Saupoudrez de sucre glace et glissez à nouveau le plat dans le four, pendant 5 minutes, pour faire caraméliser les noix de pécan. Laissez refroidir 20 minutes avant de servir.

Pour une tarte chocolat-miel-pignons-pistaches,
remplacez 100 g de chocolat noir par 100 g de chocolat au lait. Remplacez le sirop d'érable par 175 ml de miel liquide. Parsemez la tarte de pignons (75 g) et de pistaches (50 g) à la place des noix de pécan. Faites cuire comme ci-dessus.

parfait glacé

Pour **12 personnes**
Préparation **30 minutes**
  + congélation
Cuisson **5 minutes**

le **jus** et le **zeste** finement
  râpé de 1 **orange**
2 c. à s. de **Southern
  Comfort** ou de **xérès**
  + 12 c. à c.
125 g de **raisins secs**
125 g de **pruneaux** hachés
1 c. à c. d'**épices
  mélangées** (cannelle,
  poivre de la Jamaïque,
  clou de girofle, coriandre,
  macis et noix de muscade)
125 g de **sucre roux**
  + 1 c. à s.
4 gros **œufs**, blancs
  et jaunes séparés
575 ml de **crème fraîche**
  fouettée
125 g de **chocolat noir
  parfumé à l'orange** râpé

Faites chauffer le jus, le zeste d'orange et le Southern Comfort ou le xérès à feu doux avec les raisins secs, les pruneaux et les épices, pendant 3 à 4 minutes, jusqu'à ce que les fruits aient absorbé tout le liquide. Réduisez le tout en purée, dans un robot.

Fouettez ensemble le sucre et les jaunes d'œufs 5 minutes jusqu'à obtention d'un mélange épais et crémeux. Ajoutez la crème fraîche, la purée de fruits et le chocolat.

Montez les blancs d'œufs en neige souple dans un récipient parfaitement propre. Ajoutez-y 1 cuillerée à soupe de sucre puis incorporez-les délicatement à la préparation précédente.

Tapissez un moule à pain d'une contenance de 1 kg de film alimentaire. Versez-y la préparation et placez-la 6 heures au congélateur. Servez ce parfait en tranches, sur de grandes assiettes. Versez un filet de Southern Comfort ou de xérès sur chaque assiette.

Pour préparer une sauce au caramel que vous pourrez servir en accompagnement, mélangez ensemble 50 g de beurre, 50 g de sucre en poudre, 75 g de sucre roux et 150 g de golden syrup. Faites chauffer à feu doux, en remuant, jusqu'à ce que le sucre soit dissous. Poursuivez la cuisson 5 minutes, toujours à feu doux. Hors du feu, ajoutez progressivement 125 ml de crème fraîche, quelques gouttes d'extrait de vanille et le jus de ½ citron.

devil's food cake au chocolat

Pour **12 personnes**
Préparation **30 minutes**
  + refroidissement
Cuisson **35 minutes**

225 g de **farine** ordinaire
1 c. à c. de **bicarbonate**
  de soude
50 g de **cacao en poudre**
125 g de **beurre**
250 g de **sucre roux**
3 **œufs**
250 ml de **lait**
1 c. à s. de **jus de citron**

Pour la garniture
175 g de **chocolat noir**
75 g de **chocolat au lait**
3 c. à s. de **sucre**
  en poudre
300 ml de **crème aigre**

Tamisez la farine, le bicarbonate de soude et le cacao au-dessus d'un saladier. Battez le beurre et la moitié du sucre. Incorporez 1 œuf à la fois, puis le reste de sucre. Dans un saladier, faites tourner le lait en le mélangeant au jus de citron, puis ajoutez-le dans le saladier avec la farine, le bicarbonate de soude et le cacao. Mélangez jusqu'à obtention d'un mélange lisse.

Huilez 2 moules de 20 cm de diamètre et déposez un disque de papier sulfurisé dans le fond de chacun. Répartissez la pâte dans les moules et lissez la surface. Faites cuire 30 minutes dans un four préchauffé à 180 °C. Laissez reposer 10 minutes puis démoulez et laissez refroidir sur une grille.

Faites fondre le chocolat noir et le chocolat au lait ensemble, au bain-marie (voir page 10). Hors du feu, incorporez le sucre et la crème aigre.

Coupez chaque gâteau en deux, dans l'épaisseur, de manière à obtenir 4 disques. Déposez un des disques sur un plat de service. Étalez un quart de la crème au chocolat dessus. Posez un deuxième disque que vous napperez de crème. Continuez d'alterner les couches, en finissant par une couche de crème.

Pour une garniture au mascarpone, mélangez 500 g de mascarpone, 50 g de sucre roux, 1 cuillerée à café d'extrait de vanille et 1 cuillerée à soupe de liqueur de chocolat jusqu'à obtention d'un mélange lisse. Utilisez cette crème pour napper les disques de génoise.

sorbet au chocolat

Pour **6 personnes**
Préparation **5 minutes**
  + refroidissement
  et congélation
Cuisson **15 minutes**

200 g de **sucre roux**
50 g de **cacao en poudre**
1 c. à c. de **café espresso
  soluble**
1 **bâton de cannelle**
600 ml d'**eau**
12 **bâtonnets de chocolat**
2 c. à s. de **liqueur
  de chocolat**

Mélangez le sucre, le cacao, le café et la cannelle dans une grande casserole. Versez l'eau et portez lentement à ébullition en remuant jusqu'à ce que le sucre soit dissous. Maintenez l'ébullition 5 minutes puis retirez la casserole du feu. Laissez refroidir. Retirez le bâton de cannelle.

Versez la préparation refroidie dans un récipient. Fermez le récipient et faites prendre au congélateur 2 à 4 heures. Versez le sorbet dans un robot et mixez jusqu'à obtention d'un mélange lisse. Reversez-le dans un moule d'une contenance de 1 kg et placez-le 2 heures au congélateur. Vous pouvez aussi verser la préparation dans une sorbetière que vous placerez 30 minutes au congélateur en faisant tourner la pale. Transvasez ensuite la préparation dans un moule et faites prendre 2 heures au congélateur.

Démoulez le sorbet sur un plat de service et décorez-le de bâtonnet de chocolat. Servez des tranches de sorbet sur des assiettes et versez 1 cuillerée à café de liqueur de chocolat autour.

Pour un sorbet à la menthe et au chocolat, remplacez le café et le bâton de cannelle par 1 cuillerée à café d'extrait de menthe. Faites des boules que vous déposerez dans des coupes individuelles. Décorez avec des brins de menthe fraîche et des bâtonnets de chocolat.

cake marbré

Pour **10 personnes**
Préparation **15 minutes**
  + refroidissement
Cuisson **1 h 30**

200 g de **chocolat noir**
200 g de **beurre**
1 c. à c. d'**épices
  mélangées** (cannelle,
  poivre de la Jamaïque,
  clou de girofle, coriandre,
  macis et noix de muscade)
175 g de **sucre en poudre**
3 **œufs**
2 c. à c. d'**extrait de vanille**
225 g de **farine à levure
  incorporée**
½ c. à c. de **levure chimique**
100 g de **chocolat noir**
  haché

Faites fondre le chocolat au bain-marie (voir page 10) et incorporez 25 g de beurre et les épices.

Mettez le reste de beurre dans un saladier avec le sucre, les œufs et l'extrait de vanille. Ajoutez la farine et la levure tamisées. Fouettez jusqu'à obtention d'un mélange léger.

Huilez un moule à pain d'une contenance de 1 kg et versez-y un quart de la pâte. Versez un tiers du chocolat dans le moule puis continuez d'alterner les couches, en finissant par une couche de pâte. Parsemez de chocolat noir haché.

Faites cuire 1 h 15 dans un four préchauffé à 180 °C. Vérifiez la cuisson en enfonçant une brochette au centre du gâteau : elle doit en ressortir sèche. Laissez reposer 10 minutes puis démoulez et laissez refroidir sur une grille.

Pour un cake à l'orange, remplacez l'extrait de vanille par le jus et le zeste finement râpé de 2 oranges. Faites cuire comme ci-dessus. Dès la sortie du four, badigeonnez le dessus du gâteau de 2 cuillerées à soupe de marmelade chaude.

brownies au chocolat et au sirop d'érable

Pour **12 brownies**
Préparation **15 minutes**
 + refroidissement
Cuisson **35 à 40 minutes**

275 g de **chocolat noir**
250 g de **beurre**
3 **œufs**
175 g de **sucre en poudre**
50 ml de **sirop d'érable**
100 g de **farine à levure incorporée**
1 pincée de **sel**
100 g de **noix** grillées et hachées (facultatif)
125 g de **chocolat blanc** haché
sucre glace

Faites fondre le chocolat noir et le beurre au bain-marie (voir page 10).

Fouettez les œufs avec le sucre et le sirop d'érable jusqu'à obtention d'un mélange pâle et léger. Incorporez ensuite le chocolat fondu, la farine, le sel et les noix.

Huilez et tapissez de papier sulfurisé un moule rectangulaire de 30 x 20 cm en faisant déborder le papier. Versez la pâte dans le moule et parsemez la surface de chocolat blanc haché.

Faites cuire 35 à 40 minutes dans un four préchauffé à 190 °C de manière que le gâteau soit encore très fondant. Pendant la cuisson, si le dessus commence à trop dorer, posez une feuille de papier d'aluminium sur le gâteau. Laissez refroidir dans le moule. Saupoudrez de sucre glace et découpez en parts carrées.

Pour des brownies aux cerises, remplacez le chocolat noir par 275 g de chocolat parfumé à la cerise. Ajoutez 50 g de griottes à la pâte, en même temps que le chocolat fondu, puis continuez en suivant les indications ci-dessus.

petits soufflés tout légers

Pour **6 soufflés**
Préparation **5 minutes**
 + refroidissement
Cuisson **20 minutes**

50 g de **chocolat noir**
 cassé en morceaux
2 c. à s. de **fécule de maïs**
1 c. à s. de **cacao
 en poudre**
1 c. à c. d'**espresso
 soluble**
4 c. à s. de **sucre
 en poudre**
150 ml de **lait écrémé**
2 **œufs**, blancs et jaunes
 séparés
1 **blanc d'œuf**
1 c. à s. de **cacao
 en poudre** tamisé

Faites chauffer le chocolat, la fécule de maïs,
le cacao, le café soluble, 1 cuillerée à soupe de sucre
et le lait à feu doux. Quand le chocolat est fondu,
poursuivez la cuisson jusqu'à épaississement, sans
cesser de remuer. Retirez la casserole du feu et laissez
refroidir légèrement, puis incorporez les jaunes d'œufs.
Recouvrez avec un morceau de papier sulfurisé.

Montez les blancs d'œufs en neige souple, dans un
saladier parfaitement propre. Incorporez progressivement le reste de sucre jusqu'à obtention d'une neige
ferme. Incorporez un tiers des blancs à la préparation
au chocolat pour la fluidifier, puis incorporez les deux
tiers restants.

Huilez 6 petits ramequins d'une contenance
de 150 ml et répartissez-y la pâte à soufflé. Posez
les ramequins sur une plaque de cuisson bien chaude
et faites cuire 12 minutes dans un four préchauffé à
190 °C jusqu'à ce que les soufflés soient bien gonflés.

Saupoudrez de cacao en poudre et servez aussitôt.

Pour varier, préparez la pâte à soufflé comme indiqué
ci-dessus en supprimant le café soluble. Remplissez
les ramequins jusqu'à mi-hauteur. Déposez 1 ou
2 carrés de chocolat au lait sur la pâte puis versez
le reste de pâte et enfournez.

fondue aux trois chocolats

Pour **8 personnes**
Préparation **15 minutes**
Cuisson **10 minutes**

150 g de **chocolat noir**
150 g de **chocolat au lait**
150 g de **chocolat blanc**
300 ml de **crème fraîche**
75 ml d'**huile d'olive douce**

Pour tremper
200 g de **fraises**
200 g de **framboises**
amaretti

Faites fondre le chocolat noir, le chocolat au lait et le chocolat blanc au bain-marie, séparément (voir page 10), en leur ajoutant chacun un tiers de la crème fraîche et un tiers de l'huile.

Posez les trois pots de chocolat au-dessus d'une bougie chauffe-plat.

Servez le chocolat fondu avec des fraises, des framboises et des amaretti.

Pour une fondue spécial enfants, remplacez le chocolat noir par 200 g de chocolat au lait et 200 g de chocolat blanc. Servez le chocolat fondu avec des Marshmallows piqués sur des bâtonnets en bois, des fraises et des framboises.

annexe

table des recettes

au goûter

mignardises

classiques revisités

découvrez toute la collection

APÉRO

RECETTES POUR BÉBÉ

WOK
THAÏ CHINOIS VIETNAMIEN INDIEN

FACILES

PETITS GÂTEAUX

PETITS PLATS MINCEUR

PASTA
FETTUCINE · PENNE · TAGLIATELLE

CHOCOLAT
DESSERTS · MIGNARDISES

LÉGUMES
PAR JOUR

5 EUROS

PÂTISSERIE
FACILE

POISSONS
& CRUSTACÉS

SMOOTHIES

À L'AVANCE

RECETTES VAPEUR

200 PLATS
POUR CHANGER DES SPAGHETTIS

CURRY

MARABOUT
CÔTÉ CUISINE

COCKTAILS
GLAMOUR & CHIC